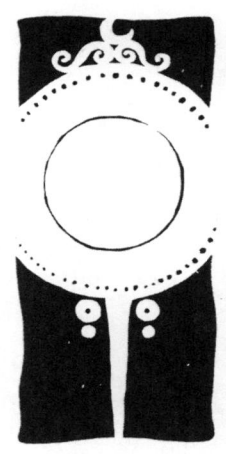

ODOYIA!

"MÃE DOS PEIXES, DOS DEUSES, DOS SERES HUMANOS"

ARMANDO VALLADO

Rio de Janeiro | 2024
1ª edição | 2ª reimpressão

Copyright© 2019
Armando Vallado

Editoras
Cristina Fernandes Warth
Mariana Warth

Coordenação de produção e diagramação
Daniel Viana

Concepção gráfica de capa, miolo e ilustrações
Luciana Justiniani

Preparação de originais e revisão
Eneida D. Gaspar

Este livro segue as regras do Novo Acordo Ortográfico da Língua Portuguesa. Nas palavras iorubás, o ponto sob letras foi substituído por sublinhado.

Todos os direitos reservados à Pallas Editora e Distribuidora Ltda. É vetada a reprodução por qualquer meio mecânico, eletrônico, xerográfico etc., sem a permissão por escrito da editora, de parte ou totalidade do material escrito.

CIP-BRASIL. CATALOGAÇÃO NA PUBLICAÇÃO
SINDICATO NACIONAL DOS EDITORES DE LIVROS, RJ

V272i

    Vallado, Armando, 1956-
    Iemanjá : mãe dos peixes, dos deuses, dos seres humanos / Armando Vallado. - 1. ed. - Rio de Janeiro : Pallas, 2019.
    168 p. ; 17 cm.   (Orixás ; 10)

    Inclui bibliografia
    ISBN 978-85-347-0599-8

    1. Cultos afro-brasileiros. 2. Iemanjá (Orixá). I. Título. II. Série.

19-61094   CDD: 299.672
    CDU: 259.42

Meri Gleice Rodrigues de Souza - Bibliotecária CRB-7/6439

Pallas Editora e Distribuidora Ltda.
Rua Frederico de Albuquerque, 56 — Higienópolis
21050-840 — Rio de Janeiro — RJ
Tel./Fax: (21) 2270-0186
E-mail: pallas@pallaseditora.com.br
www.pallaseditora.com.br

Para Thaísa

SUMÁRIO

1 IEMANJÁ DA ÁFRICA PARA O BRASIL ◆ 11

    IEMANJÁ NO CANDOMBLÉ ◆ 16

    IEMANJÁ NA UMBANDA ◆ 19

2 DOMÍNIOS DE IEMANJÁ ◆ 27

3 QUALIDADES DE IEMANJÁ E OS NOMES DE SEUS FILHOS ◆ 31

    IYÁSABÁ OU SOBÁ ◆ 36

    IYÁKURÁ OU AKURÁ ◆ 38

    IYÁOGUNTÉ OU OGUNTÉ ◆ 42

    IYÁOYÒ OU AOIÔ ◆ 44

    IYÁSESÚ OU SESSU ◆ 46

    ATARAMAGBÁ ◆ 48

    IYÁKONLÁ OU CONLÁ ◆ 50

    IEMANJÁ MALELEO ◆ 52

4 OS FILHOS DE IEMANJÁ ◆ 57

5 A DANÇA DE IEMANJÁ ◆ 63

    AS CANTIGAS E SUAS DANÇAS ◆ 75

6 A CERIMÔNIA DO BORI ◆ 87

    O EBÓ ◆ 90

    A SASSAIM ◆ 92

    O BORI ◆ 95

7 IEMANJÁ E SUA MAGIA • 109
OFERENDAS A IEMANJÁ • 112
AS FOLHAS DE IEMANJÁ • 120

8 IEMANJÁ NA CULTURA POPULAR • 131

9 MITOS DE IEMANJÁ • 141
IEMANJÁ É VIOLENTADA E DÁ À LUZ OS ORIXÁS • 142
IEMANJÁ RECEBE AJUDA DE XANGÔ PARA CHEGAR AO MAR • 143
IEMANJÁ CRIA ESTRELAS, NUVENS E OS ORIXÁS • 145
IEMANJÁ DESTRÓI A PRIMEIRA HUMANIDADE • 146
IEMANJÁ TAMBÉM JOGA BÚZIOS • 146
IEMANJÁ SE TORNA A SENHORA DAS CABEÇAS • 148
IEMANJÁ FINGE-SE DE MORTA • 148
IEMANJÁ SEDUZ OS PESCADORES E OS AFOGA • 150
IEMANJÁ SALVA O SOL E CRIA A NOITE • 151
IEMANJÁ CASTIGA XANGÔ • 152
IEMANJÁ PEDE AJUDA A OXUM PARA CONQUISTAR OGUM • 153
IEMANJÁ TEM SEU PODER SOBRE O MAR CONFIRMADO POR OBATALÁ • 154

GLOSSÁRIO • 155

REFERÊNCIAS • 161
BIBLIOGRAFIA • 161
DISCOGRAFIA • 164

1 | Iemanjá da África para o Brasil

Nas terras africanas dos povos iorubás, muitos dos orixás são identificados com elementos da natureza como os rios, os montes, as florestas, a chuva, o ar, o raio e o trovão. Em geral, os rios são associados a divindades femininas; a terra, a divindades masculinas. A diversidade do mundo natural é espelhada na diversidade dos orixás, que por sua vez é transmitida à diversidade humana, uma vez que homens e mulheres descendem dos orixás e cada um deles tem uma origem que o diferencia do outro. O orixá marca, antes de mais nada, a distinção essencial entre diferentes famílias e indivíduos.

Quando os orixás foram trazidos ao Brasil e a outros países das Américas, pelos africanos escravizados e depois por africanos e descendentes livres, seu culto teve que se adaptar a uma outra geografia, uma vez que outros rios, outras montanhas e outros acidentes naturais compunham o território que marcaria o novo lar desses homens e mulheres. Os orixás que os acompanharam ganharam, em muitos casos, uma nova ligação com a natureza: a natureza do lugar a que chegaram. Os laços que juntavam, por exemplo, determinado orixá a um certo rio ou uma certa cidade foram desfeitos. Como consequência, o orixá ganhou novos territórios, conquistou novos patronatos: seu culto, pouco a pouco, expandiu-se e ganhou a universalidade.

Ao atravessar o Atlântico na alma de seus devotos, Iemanjá, por exemplo, perdeu o rio Ogum (que não deve ser confundido com o orixá do ferro), mas ganhou a imensidão do mar. Perdeu suas antigas

• IEMANJÁ •

aldeias e templos, mas ganhou um território imenso, um novo país, de onde vem se espalhando pelo mundo. Na África, Iemanjá continua sendo um orixá das águas doces. Às margens do rio Ogum ocorrem anualmente festivais em louvor de Iemanjá, quando seus devotos lhe oferecem ovelhas, cabras, galinhas, frutas, tecidos vistosos em suas cores prediletas e bonecas feitas de pano ou entalhadas em madeira. Em geral, tais festivais estão associados à gestação e à maternidade.

Na África, Iemanjá é considerada filha de Olocum, que é a divindade do mar, vista ora como homem, ora como mulher. Um mito dessa divindade nos mostra sua natureza ambígua. Conta ele que Olocum vivia entre a terra e o mar, sua natureza era anfíbia, necessitava da terra e necessitava das águas do mar. Um dia Olocum se apaixonou pelo orixá Ocô, que vivia numa mata próxima. Ocô também se encantara por Olocum. No entanto, Olocum tinha receio de se aproximar de Ocô, pois não queria ser ridicularizada por ele por sua natureza ambígua. Não suportando mais o sofrimento em que vivia, Olocum foi à presença de Oxalá para pedir-lhe conselhos sobre esse amor. O velho rei a tranquilizou, dizendo que poderia viver seu amor por Ocô, uma vez que ele era um homem de valor e sóbrio em suas atitudes. Depois de viverem juntos por um tempo, Ocô descobriu a ambiguidade de Olocum e, inconformado, espalhou o caso para todo o povoado. Olocum caiu em uma tristeza profunda e se isolou no fundo do mar, nunca mais subindo à terra. Olocum teve outros amores e, de um deles, nasceu Iemanjá, que subiu à terra para dominar os rios.

Nos templos africanos, a figura de Iemanjá aparece entalhada em madeira, esculpida em pedra ou mesmo feita em barro. Trata-se de uma mulher com formas arredondadas e seios fartos, símbolo do feminino e das grandes mães. Junto com Nanã e Oxum, ela forma a tríade das velhas mães ancestrais. Já com Oxalá, incontestavelmente a maior e mais respeitada divindade do panteão iorubá, Iemanjá une-se na criação do mundo e dos orixás. Um dos mais antigos mitos conta-nos que Olodumare, o deus supremo, vivia no

· IEMANJÁ ·

òrun (espaço sagrado onde vivem os orixás) no silêncio das brumas e do sem-fim. Irritado com a solidão em que se encontrava, resolveu criar novos espaços. Destes inventos surgiu a Terra com suas rochas e os demais elementos. Não contente, ele se moveu com violência em seu trono, fazendo brotar de seu corpo uma tormenta de água que inundou grande parte da terra criada. Entretanto, isso também não o deixou feliz, pois queria que esse espaço fosse habitado por seres encantados que dariam à luz outros seres que ele chamaria de homens.

O primeiro ser divino criado por Olodumare foi, justamente, Iemanjá, que surgiu das águas trazendo seus filhos: os peixes, os corais, as conchas etc. Nascia, então, a grande mãe vestida de azul e prata. Iemanjá se encantou com a Terra e concebeu as cachoeiras, os lagos e as lagoas, utilizando as águas sagradas de Olodumare. Por fim, na África, Iemanjá ainda é celebrada na coleta dos peixes – daí seu nome *Yemojá* (*Yeye Omo Ejá*), "Mãe dos filhos peixes" –, e também no plantio e colheita do inhame.

· IEMANJÁ ·

IEMANJÁ NO CANDOMBLÉ

O culto de Iemanjá veio para o Brasil com os povos iorubás, que foram introduzidos principalmente na Bahia e em seguida se espalharam por várias regiões do país, misturando-se inclusive a povos africanos de outras procedências. No Brasil, além de senhora do mar, Iemanjá é considerada a mãe de todos os orixás e Iyaorí (mãe das cabeças) do povo de santo, o que solidifica sua "ascensão em terras brasileiras à posição de grande mãe, perdendo, contudo, suas características de mulher guerreira e de amante ardorosa" (Vallado, 2008). Esse fato se comprova pela sincretização de Iemanjá com a Nossa Senhora dos católicos, a mãe de Jesus, virgem e casta. Mesmo considerada agora orixá do mar, Iemanjá permanece sendo saudada no candomblé e em algumas umbandas como "Odoiyá", que significa "Mãe do rio", ou como "Eroiyá mi", "Calma minha mãe", revelando também seu caráter turbulento e arrebatador.

· IEMANJÁ ·

Já sobre Iemanjá ser considerada a mãe de todas as cabeças humanas, há um mito que diz que, ao fazer o mundo, Olodumare repartiu entre os orixás vários poderes, dando a cada um dos deuses um reino para cuidar. Para Iemanjá, Olodumare destinou os cuidados do palácio de Oxalá, orixá velho e alquebrado, assim como a criação de sua prole e todas as obrigações domésticas, convertendo Iemanjá em uma serva do velho orixá e de suas mulheres. Iemanjá protestava a cada dia, pois, afinal, todas as outras divindades recebiam oferendas, festas e homenagens, enquanto ela vivia como uma escrava. Ela passou a atormentar Oxalá com seus reclamos. Tanto falou nos ouvidos do velho rei, que este adoeceu. O ori de Oxalá não aguentou a insistência e os reclamos de Iemanjá. Com a doença do rei, Iemanjá caiu em si do mal que provocara. Foi ao mercado e comprou peixes frescos, frutas, canjica, obis brancos e novos, pombos etc.

De volta ao palácio, Iemanjá foi aos aposentos do rei e fez-lhe um ritual, no qual louvou e pediu a Olodumare pela cura de Oxalá. Cantou e cantou,

· IEMANJÁ ·

até que o velho adormeceu com um semblante calmo e tranquilo. Oxalá se curou. Encantado com o que se deu, Oxalá subiu ao palácio de Olodumare e rogou-lhe que concedesse a Iemanjá o cuidado de todas as cabeças humanas. Desde então, Iemanjá recebe oferendas e é homenageada sempre que ocorrem oferendas às cabeças humanas. Até hoje isso é praticado nos terreiros de candomblé. É o ritual do *bori*. Desta forma, Iemanjá é sempre lembrada nos terreiros, e em todos os momentos os filhos de santo a saúdam e lhe agradecem como mãe das cabeças.

Esse episódio também é lembrado nos dias de festa, quando os filhos de santo dançam e, com movimentos circulares em volta da cabeça, tocam a fronte e a nuca, saudando Iemanjá, fazendo referência ao seu domínio sobre suas cabeças.

Oríirè Yemojá
Orí, orí, irè Yemojá
Cabeça favorável Iemanjá
Nos dê cabeça favorável

Os presentes saúdam Iemanjá com os gritos "Odoiyá", pedindo a ela saúde e equilíbrio para suas mentes.

IEMANJÁ NA UMBANDA

A umbanda surgiu no Brasil nos anos de 1930, apoiada nos cultos africanos, nos indígenas, no catolicismo e no kardecismo. Na umbanda, Iemanjá deixou de ser vista como uma mulher negra e de seios volumosos para se tornar branca, com feições suaves e outros aspectos semelhantes aos da Nossa Senhora dos católicos. Como bem lembrou Monique Augras (1981), mesmo com todas essas transformações, Iemanjá ainda apresenta traços sedutores, pois sua imagem material na umbanda mostra-a em um vestido azul colante; entretanto, ela não deixa de ser a mãe boa, desafricanizada, espiritualizada, uma "vibração do mar", ou, ainda, pura sublimação da sexualidade. Uma nova figura também surge na umbanda a partir do lugar que é dado a Iemanjá: a Pombagira. Essa entidade, que é o contraponto da Grande Mãe, surgiu no Rio de Janeiro e certamente foi criada para ocupar o lugar da mulher sensual, amante de muitos homens e "de vida fácil".

É importante ressaltar que, na umbanda, a figura de Iemanjá não só aparece sincretizada com Nossa Senhora, mas também é conhecida como a Mãe d'Água, Janaína e Mãe Sereia. Até mesmo em uma representação singular ela toma essa última forma: uma sereia com traços europeus, tendo em sua cabeça uma coroa que lhe dá ares de rainha, ou até mesmo mostrando que de suas mãos brotam pérolas. Iemanjá é a grande mãe da umbanda. Ao lado de Oxalá, o grande pai, ela forma o casal mais reverenciado nos rituais umbandistas. No entanto, Iemanjá tem seu papel restrito à chefia de falanges de espíritos como caboclos e iaras que, em transe, personificam entidades com nomes e gestos alusivos ao mar, local sagrado da grande mãe.

Em várias ocasiões, mas principalmente no dia 8 de dezembro, dia de Nossa Senhora da Conceição,

· IEMANJÁ ·

os terreiros de umbanda prestam homenagens a Iemanjá. A maior festa nessa data é realizada em São Paulo, no município de Praia Grande, em um balneário turístico chamado Cidade Ocian. Nesse local está erguida uma imagem de Iemanjá com vestido azul e longos cabelos negros. Para lá acorre um grande número de terreiros de umbanda e alguns poucos de candomblé. Armam-se desde pequenas tendas até grandiosos espaços adornados por imagens, flores, luzes e uma profusão de velas, praticamente transferindo as instalações religiosas para a beira-mar, ocupando-se toda a orla marítima. Nas tendas, nota-se sempre a presença de um barco, pequeno ou grande, sempre com a imagem de Iemanjá e enfeitado com flores, no qual os devotos depositam suas oferendas, principalmente perfumes e espelhos.

Os atabaques soam intermitentemente, orquestrando os cantos entoados pelos devotos, provocando o transe em muitos deles. Caboclos, pretos-velhos, baianos, exus e outras entidades conhecidas na umbanda possuem seus seguidores e, em cada terreiro, a

· IEMANJÁ ·

consulta pública acontece. Para lá acodem não só os filhos de cada terreiro, mas também a população que assiste de forma simpatizante a essa comemoração. Como lembraram Pierucci e Prandi (1996), tudo isso demonstra bem o caráter de religião de serviços que perpassa a umbanda.

Quando a meia-noite se aproxima, os terreiros entoam cânticos à mãe do mar e o transe ocorre nas filhas de santo. Raramente se vê um homem sendo incorporado pela deusa. Durante o transe, Iemanjá se mostra com olhos chorosos e palmas das mãos estendidas, e caminha vagarosamente em direção ao mar. Acompanhada pelos filhos de santo dos terreiros, Iemanjá entra nas águas: e são muitas dela que surgem. Nesse momento, os barcos antes referidos são lançados ao mar e se ouvem os cantos e súplicas de todos. É um espetáculo que salta aos olhos pela beleza, dramaticidade e comunhão da fé.

As festas de Iemanjá acontecem em toda a costa litorânea brasileira, alcançando até as praias do Uruguai e da Argentina. Mas também podemos presenciar

· IEMANJÁ ·

algumas festas no interior do país, como em Brasília, junto ao lago Paranoá. O fator comum a essas celebrações é a presença das estátuas de Iemanjá erguidas por iniciativa de federações de umbanda, por adeptos do candomblé ou até mesmo pelo poder público municipal. Essas estátuas costumam ser de dois tipos: a Iemanjá Sereia ou a Iemanjá da umbanda.

A festa mais antiga já documentada para Iemanjá é a "festa do largo" que se dá no Rio Vermelho, bairro de Salvador. Originalmente feita no Dique Tororó, essa festa ocorre desde 1896. Ela encerra um ciclo de festas em Salvador que se inicia em 4 de dezembro, com a festa de Santa Bárbara – Iansã. Após a festa de Iansã, os baianos realizam no dia 8 desse mesmo mês a festa em louvor a Nossa Senhora da Conceição da Praia, sincretizada com Oxum. Na terceira quinta-feira do mês de janeiro, ocorre a festa da Lavagem do Bonfim, que é, juntamente com a festa de Iemanjá, uma das mais importantes festas religiosas da Bahia.

· IEMANJÁ ·

No Rio Vermelho há uma pequena casa com variadas representações de Iemanjá. Em frente a ela, há um pedestal no qual se vê uma sereia sempre enfeitada com flores. Nessa casa, durante todo o ano, as pessoas fazem suas preces e entregam flores, velas, perfumes etc. No dia 2 de fevereiro, a aglomeração de pessoas é grande nesse local. Muitos barcos ficam à beira-mar esperando a hora de levar as oferendas a Iemanjá para longe da praia. Elas são preparadas pelos devotos e simpatizantes de Iemanjá em um local reservado para isso. Na festa não comparecem apenas os terreiros com seus filhos de santo, mas também pessoas da sociedade abrangente, turistas e curiosos. As pessoas se aglomeram na praia para ver a festa, trocar impressões ou apenas deixar o tempo passar. No final da tarde, os barcos seguem em direção ao alto mar, levando as oferendas a Iemanjá; é um cortejo alegre, com muitos cantos e percussão. A festa continua nas barracas que vendem comida e bebida.

Há ainda outra festa que não é propriamente de Iemanjá, mas que acabou se tornando dela, que é a

· IEMANJÁ ·

grande festa de ano novo à beira-mar que temos no Brasil. O costume de celebrar Iemanjá levando flores ao mar na passagem do ano começou com os umbandistas no Rio de Janeiro, na década de 1950, e se popularizou rapidamente. Contagiadas por essa celebração, multidões passaram a ocupar a vasta orla brasileira vestindo-se de branco, jogando flores para a Rainha do Mar e pulando sete ondas na intenção de ter um bom ano novo. Não só adeptos da umbanda, precursora nessa festa, mas também do candomblé, católicos etc., celebram Iemanjá no fim do ano, fazendo-lhe oferendas de flores, perfumes, espelhos, pentes. Pelo sim ou pelo não, todos estarão à beira-mar com o mesmo intuito.

Vestidos de branco, homens e mulheres vão chegando desde cedo nas areias da praia. A cor branca das vestes está associada à paz que a humanidade busca, um alento em tempos difíceis. No candomblé, o branco representa a cor das vestes e de todos os elementos que são utilizados no culto a Oxalá, divindade da criação, além de ser também uma das

· IEMANJÁ ·

cores usadas para vestir Iemanjá. Toda essa celebração confunde-se com o próprio *réveillon*, palavra francesa que significa a grande vigília, antes do acordar ou despertar para um novo tempo, indicando, portanto, o recomeço de um ciclo após o outro. Por fim, acontece a grande queima de fogos de artifício, que sempre é realizada na passagem de ano. As luzes iluminam as praias, contrapondo-se às velas acesas nos pequenos buracos na areia.

2 | DOMÍNIOS DE IEMANJÁ

Das margens do rio Ogum, Iemanjá teve seu culto expandido para outras regiões do território iorubá. O mito africano conta que Olocum presenteou a filha Iemanjá com uma botija contendo um líquido misterioso, apenas dizendo-lhe que, caso um dia estivesse em perigo, ela a quebrasse, e logo seria salva. Iemanjá cresceu e casou-se com Oduduwa, rei de Ifé. Cansada de apanhar do marido violento, Iemanjá resolveu fugir. O marido, enlouquecido, mandou o exército ao seu encalço e ela, sentindo-se acuada,

· IEMANJÁ ·

lançou mão do presente de Olocum, quebrando a botija. No mesmo instante, um rio abriu-se ao redor de Iemanjá, conduzindo-a ao palácio onde Olocum vivia, no fundo do mar.

No Brasil, os domínios de Iemanjá foram alterados e ela aparece, desde então, como divindade do mar, sendo cultuada, principalmente, em toda a costa marítima, onde lhe rendem homenagens de tempos em tempos.

Toda uma mitologia dá conta dos vários aspectos da Grande Mãe que Iemanjá, aqui, passa a desempenhar. Originalmente, essa mitologia era transmitida pela tradição oral. Hoje, porém, já temos uma vasta bibliografia sobre o assunto. Muitas pesquisas foram realizadas com sacerdotes antigos que, buscando em suas memórias, conseguiram relatar detalhes surpreendentes aos curiosos pesquisadores. Da mesma forma, um número considerável de iniciados passou a escrever suas impressões como forma de mantê-las vivas para o povo de santo e para os interessados no assunto. Muitas dessas informações estão disponíveis não só na literatura escrita, mas também na internet, ao alcance de qualquer pessoa. A despeito de tudo isso, a tradição oral ainda é válida e respeitada, e o conhecimento é adquirido no exercício do culto. Mas vale pontuar que a informação escrita, por sua vez, também é incorporada pela tradição oral nos terreiros, modificando, muitas vezes, o seu conteúdo. Contudo, lamentavelmente, grande parte do conhecimento, o que inclui os mitos, perdeu-se por falta de registro, ou em razão dos seguidores do culto não lhes darem a devida importância, ou ainda por mantê-los secretos como forma de deter o poder sobre eles. Os velhos e tradicionais cadernos rascunhados, mantidos pelos pais e mães de santo, ainda existem e são guardados em baús com muito cuidado, longe da vista dos curiosos filhos de santo.

Lembremos que os mitos dão origem, quase sempre, aos ritos que acontecem nos terreiros, como também à concepção de pessoa e sua atuação no mundo. Se analisarmos os mitos de Iemanjá, perceberemos que a maioria deles nos conduz a pensar acerca da posição dela como a Grande Mãe, a mãe de todas as cabeças humanas, bem como uma mulher guerreira e decidida.

Os mitos nos quais Iemanjá aparece nos remetem à criação do mundo por iniciativa de Olodumare – o deus supremo –, que, cansado de estar solitário no infinito, criou Iemanjá, a água, e Aganju, a terra. Desse par nasceram os demais orixás e o mundo em que vivemos, além dos seres que nele habitariam.

3 | QUALIDADES DE IEMANJÁ E OS NOMES DE SEUS FILHOS

Na África, cada família cultua o orixá do qual crê descender. Todos os membros de uma família têm o mesmo orixá (Verger, 1997). A definição do orixá se dá em linha paterna, o pai passa para seus filhos e filhas o mesmo orixá que foi do pai dele, do pai do pai dele, até a mais remota e mitológica época da fundação daquele tronco familiar. Na África iorubana, todo mundo sabe qual é seu orixá; basta saber a que família pertence.

Já no Brasil, a primeira coisa que o escravismo fez foi destruir os laços de parentesco africanos. Os escravos eram caçados e separados de suas famílias, eram vendidos individualmente, não havia destinação nem venda de agregados familiares. O escravo era comercializado como uma mercadoria e imediatamente batizado, recebendo a religião católica e o sobrenome de seu dono, de seu senhor. Mais adiante, nos séculos XVIII e XIX, já existiam famílias de escravos que conservavam relações de parentesco, mas eram famílias constituídas aqui, nos moldes ibéricos. Em geral, os escravos não sabiam qual era sua origem familiar e, por conseguinte, não sabiam qual era o seu orixá.

Como saber então qual é o orixá de uma pessoa, orixá que é sua alma primordial, se não dá para reconstituir a família original africana? E o que fazer numa outra situação, hoje tão comum, que se dá quando o devoto não é um afrodescendente? A resposta fica a cargo da mãe ou pai de santo, que por meio do jogo de búzios atribui a cada devoto sua origem mítica, dizendo se é um filho deste ou daquele orixá. Trata-se de uma emblemática adaptação da religião ao Novo Mundo.

· IEMANJÁ ·

Como os orixás são muito diferentes entre si, os homens e mulheres, que deles se originam, também são. Por isso, o candomblé ensina e pratica que toda pessoa deve ser aceita do jeito que ela é, com suas diferenças, qualidades e defeitos supostamente herdados de seu orixá. Tanto a psicologia quanto a constituição física de cada um trazem as características do orixá da pessoa. A marca do orixá está impressa no espírito e no corpo de cada ser humano.

Filhos de Iemanjá estão ligados ao mar, filhos de Oxum estão ligados à água doce, filhos de Oxóssi são mais próximos da vegetação etc. E mais: ainda na África, os orixás passaram por um processo de antropomorfização. Além de associados a forças da natureza, eles também estão ligados a certos aspectos biológicos, socioculturais e psicológicos próprios do ser humano. Assim, Iemanjá também é a senhora da maternidade, é quem cuida das crianças e toma conta das famílias. A marca da maternidade também se mostra no corpo: uma filha de Iemanjá costuma ter seios grandes, seios que alimentam e que nutrem. Sua barriga é grande por causa das inúmeras gestações; ela fala demais porque a mãe passa o tempo todo gritando com as crianças; ela se preocupa mais com os filhos do que com o marido e assim em diante. Isso tudo vai compondo aquilo que chamamos de estereótipo, que está fundado nos mitos.

A mãe ou pai de santo experiente é capaz de enxergar no corpo do devoto as marcas de seu orixá. Filhos de Oxóssi são longilíneos, têm braços compridos e a vista apurada do caçador. Filhos de Ogum são fortes e musculosos, com a energia do ferreiro que também faz a guerra. Filhos de Xangô têm tendência à obesidade porque se entopem de comida e de poder. Os de Omolu têm a pele ruim, marcada por feridas. Os de Oxalá têm a coluna curvada, arrastam as pernas em seu andar vagaroso e se escondem dos raios de sol. Filhas de Oxum são belas, têm as formas arredondadas, quase gordas. As de Iansã são magras e rápidas nos movimentos. Flexibilidade do corpo é com os filhos de Oxumarê. Os filhos de Logum-Edé, quando do sexo masculino, apresentam uma beleza

· IEMANJÁ ·

física quase feminina. E assim por diante, pois cada um nada mais é do que uma "cópia imperfeita" do orixá de que descende. Assim como seu modo de agir e pensar, seu corpo é um testemunho dessa origem sagrada.

No candomblé, a maioria dos orixás é dividida em qualidades, ou seja, múltiplas invocações ou avatares, o que significa dizer que eles possuem características tão próprias que se chega a pensar que são orixás individuais. Com Iemanjá isso também se dá. Quando se realiza uma iniciação no candomblé, é tarefa do pai ou mãe de santo atribuir ao neófito um orixá com determinada qualidade. Regra geral, isso ocorre antes até dos primeiros rituais de iniciação, para que se determinem quais serão as cores das vestes e dos colares, animais, objetos e representação da divindade para a qual o filho de santo será iniciado.

Dentre as várias qualidades de Iemanjá que ainda são preservadas nos terreiros de candomblé, escolhemos oito delas para apresentarmos uma descrição. Vale lembrar que as qualidades atribuídas aos orixás também levam, nos terreiros, à atribuição dos nomes (orukós) pelos quais os iniciados serão conhecidos após o rito de iniciação. Mesmo sendo a língua iorubá ainda desconhecida nesses locais, a bibliografia especializada ou os aplicativos da internet muito colaboram para que os sacerdotes se inspirem e atribuam os nomes a seus filhos de santo, com vasto repertório de significados e interpretação.

IYÁSABÁ OU SOBÁ

É a esposa de Orunmilá, a mais velha de todas. Autoritária, ciumenta, possessiva, altiva e voluntariosa. Quase não é vaidosa nem romântica. Em contrapartida, é carinhosa com seus seguidores, usa pulseiras e tornozeleiras de prata e cristal e colares de miçangas de cristal verde translúcido; traz nas mãos o abebé – leque de prata ou prateado – e, nos terreiros mais tradicionais, porta um pequeno punhal. Em alguns mitos, Iyásabá surge como comandante de caçadas nas

IEMANJÁ

profundezas do oceano, seguida por seres encantados. Foi ela quem cegou o orixá Erinlé, quando ele, após possuí-la no leito, tentou descobrir seus segredos guardados no fundo do mar. Ela também é manca de uma perna por conta de uma disputa com Exu.

Quando incorpora em um de seus filhos, Iyásabá quase não fala e, quando o faz, dá as costas a seu interlocutor. Acredita-se nos terreiros que Iyásabá é surda de um dos ouvidos, mas nunca revela de qual. Durante o transe, Iyásabá inclina a cabeça para um só lado, demonstrando, assim, de qual deles ela escutará naquele dia. Qualquer súplica que for feita no ouvido surdo não será ouvida pela deusa.

Conforme a mitologia, Iyásabá se saiu bem no trabalho da adivinhação durante uma ausência de Orunmilá, por isso mais e mais pessoas iam à procura de seus conselhos e de seus ebós. Ela sentiu-se realizada com aquilo, já que fora sempre uma mera esposa e serviçal de Orunmilá. A clientela só aumentava dia após dia. Um dia, sem que ela esperasse, Orunmilá retornou da viagem. Ela não teve tempo de desmanchar sua banca de adivinhação, nem tampouco de mandar embora as pessoas que por ela esperavam. Orunmilá ficou enfurecido com a atitude da mulher e não quis ouvir explicações. Iyásabá foi mandada embora da casa, levando consigo apenas seus filhos e alguns pertences. No entanto, em uma cidade vizinha, estabeleceu-se como adivinha e curandeira. Todos os dias se via Iyásabá indo à beira do rio dar banhos em seus consulentes e fazendo os ebós que Ifá determinava.

Os nomes atribuídos aos filhos de Iyásabá são:

- **Iyatundê** – A mãe voltou
- **Omigbadé** – A água concede realeza
- **Iyaminá** – A mãe é minha riqueza
- **Adesabá** – A coroa de Sabá
- **Adegoké** – A coroa tem sido exaltada

IYÁKURÁ OU AKURÁ

Associada à morte, assim como Nanã, Iyákurá é a divindade que controla os abicus, proporcionando a

· IEMANJÁ ·

continuidade de vida aos que por eles forem possuídos. Ela caminha sobre o lodo do mar vestida com algas marinhas. É jovem, alegre, infantil, bondosa e prestativa, curadora e muito distante dos seres humanos. Em sua dança, ela simula brincar com as espumas do mar, apanhando-as e distribuindo aos fiéis.

Há uma história interessante que mostra o poder de Iyákurá sobre os abicus. Um dia, um dos casais reais de Ilê-Ifé deu à luz uma criança abicu. Os adivinhos foram chamados ao palácio para fazer o jogo de Ifá, para prever como seria o caminho de vida daquela criança. Eles viram logo tratar-se de uma criança abicu e que ebós deveriam ser feitos para afastar a morte precoce do recém-nascido. O rei era teimoso e julgou improcedentes as palavras dos adivinhos, não permitindo que se fizessem os ebós. Passado algum tempo, a criança começou a adoecer sem que nenhuma erva ou unguento a curasse.

Iyákurá vivia distante das pessoas daquela terra, mas todos sabiam o poder que ela tinha sobre os abicus. Iyákurá foi chamada pelo rei de Ilê-Ifé a acudir seu

· IEMANJÁ ·

filho doente. Ela se recusou a ir até o palácio do rei, pois sabia que ele havia impedido os adivinhos de fazer os ebós quando o filho nascera. Atormentado, o rei mandou perguntar o que ele deveria fazer para convencê-la a curar seu filho. Iyákurá mandou que o rei gratificasse os adivinhos que lá estiveram com dois mil e quinhentos bodes, peças de ouro e cobre, além de cento e cinquenta sacos de búzios. Mesmo contrariado, o rei aceitou a determinação de Iyákurá.

Certa manhã, Iyákurá se dirigiu ao palácio levando consigo bonecas de pano, tecidos vermelhos, muitos guizos, favas de bejerecum e toda sorte de guloseimas que agradam às crianças. Diante do rei suplicante, Iyákurá fez as oferendas a abicu, colocou-as dentro de uma grande cabaça e mandou que a levassem para o rio. Dias depois, o príncipe estava curado e o rei quis dar uma festa em louvor a Iyákurá. Como ela não gostava de conviver com as pessoas, negou o pedido e mandou que o rei distribuísse ao povo o que ele gastaria com a festa. Uma vez mais o rei cumpriu os desígnios de Iyákurá.

· IEMANJÁ ·

É importante salientar que os abicus na África são considerados espíritos infantis que vivem no espaço sagrado chamado Orum. Eles se apossam de crianças durante a gestação, fazendo com que elas morram precocemente. A palavra *abikú* vem de "*awa*", nós + "*bi*", nascer + "*kú*" (de ikú), morrer, ou seja, nascemos para morrer. No Brasil há inúmeras interpretações acerca de abicu. A principal delas é que se o oráculo mostrou que o consulente é abicu, isto mostrará que este já nasceu "feito", não necessitando ser raspado, tendo apenas seu orixá assentado no culto.

Os nomes atribuídos aos filhos de Iyákurá são:

- **Adisá** – Aquela que é clara
- **Ayómidé** – A alegria das águas chegou
- **Dayomí** – A alegria chegou das águas
- **Omikayodé** – As águas me trazem alegria
- **Omifunmilayó** – As águas me deram felicidade

· IEMANJÁ ·

IYÁOGUNTÉ OU OGUNTÉ

A mais jovem de todas, Iyáogunté é a guerreira, esposa de Ogum Alagbedé. Vive nos encontros das águas com as pedras, aprecia o atrito que elas provocam. É violenta, rancorosa, severa, ambiciosa e sexualmente potente. Traz em seus trajes um pendente com as ferramentas de Ogum. Nas mãos, usa o abebé e uma adaga. Mulher de Ogum, Iyáogunté vivia com ele no campo, de batalha em batalha, conquistando reinos e escravos. No entanto, o marido a maltratava e, sempre que bebia vinho de palma e se embriagava, a espancava. Cansada dos maus tratos, Iyáogunté tinha amantes longe dos olhos de Ogum. Com eles dividia o leito e os presenteava com o espólio das guerras. Certo dia Oxum, a irmã mais nova de Iyáogunté, contou a Ogum a traição da irmã. Oxum fez isso após a irmã lhe negar um pente de madrepérolas que ela tanto queria.

Ogum mandou que fossem ao encalço de Iyáogunté e acabaram por descobri-la nos braços de um amante. A esposa infiel foi presa e Ogum foi ter com ela. Enlouquecido pela traição, Ogum, que andava sempre acompanhado por cães, incitou-os a atacarem a esposa. Esta foi ferida por eles e quase morreu por tanto sangue derramado. Iyáogunté, mesmo ferida, não se fez de rogada, partiu do reino de Ogum e dali em diante passou a ser sua mais cruel opositora. Sempre que podia, ela juntava mais e mais inimigos de Ogum, formando exércitos que enfrentaram o senhor da guerra em inúmeras batalhas. Em algumas delas, Iyáogunté saiu vitoriosa.

Os nomes atribuídos aos filhos de Iyáogunté são:

- **Omídiná** – A água destrói o mau caminho
- **Omíṣeun** – Estou em dívida com a mãe
- **Iyábákín** – A mãe gerou uma guerreira
- **Iyáfolú** – A mãe abriu o caminho para o sucesso
- **Iyárindè** – A mãe passou por aqui

· IEMANJÁ ·

IYÁOYÒ OU AOIÔ

A mais feminina de todas, Iyáoyò é símbolo da calma e da tranquilidade das águas. Ciumenta de seus filhos, os traz amarrados às suas sete anáguas com a finalidade de protegê-los dos males da humanidade. Vive no mar e descansa na lagoa. A ela é dito: "*Òbáolokún, òbáolosá*" (rainha do mar, rainha da lagoa). Iyáoyò está presente nos rituais destinados ao culto das cabeças, como o bori. Nesses rituais ela é cultuada como Iyáori (mãe das cabeças), podendo curar as doenças e males que atormentam as cabeças humanas. Além disso, Iyáoyò possui ligações com Oxalufã, acompanhando o orixá da criação em suas festas públicas, como as Águas de Oxalá. Ela é velha, generosa, amorosa, idealista e crédula.

Quando paramentada, Iyáoyò veste-se com as cores branca e prata, carregando o abebé e usando contas de cristal translúcidas. Foi Iyáoyò quem encontrou Omolu na beira do mar, abandonado por sua mãe Nanã, que o desprezara por ele haver nascido com muitas chagas pelo corpo, o que o tornava feio e repugnante. Iyáoyò apanhou aquela criança e a levou para seu palácio. Todos os dias ela lavava o corpo de Omolu com água salgada e com folhas trituradas colhidas ao amanhecer do dia. Contudo, a criança não parava de chorar, mesmo com o corpo sem nenhuma chaga. Os dias passaram até que Iyáoyò teve a ideia de fazer oferendas ao *orí* (cabeça) de Omolu. Cozinhou milho de canjica e outras oferendas, entoando cânticos ao ori do pequeno. Com isso, Omolu se acalmou e o choro passou. Desde então, Iyáoyò cura a cabeça de seus devotos que sofrem de dor ou de algum mal espiritual.

Os nomes atribuídos aos filhos de Iyáoyò são:

- **Orídokún** – A cabeça é poderosa
- **Orítolú** – A cabeça é suprema
- **Omíoiyn** – A água é doce
- **Omílójú** – As águas têm olhos
- **Orídoiyn** – A cabeça é tão doce quanto o mel

· IEMANJÁ ·

IYÁSESÚ OU SESSU

É a Iemanjá que vive nas profundezas dos rios e do mar, em locais escuros onde os olhos humanos não conseguiriam desvendar seus segredos. Uma de suas funções é trazer à terra as mensagens de seu pai Olocum, o deus do mar. Associada à gestação das mulheres, exige que elas recebam bem seus filhos no ventre, caso contrário poderia vingar-se delas provocando o nascimento de crianças portadoras de defeitos físicos.

Velha, paciente e esquecida, Iyásesú é relatada no mito em que, recebendo o sacrifício de um pato, põe-se a contar as penas da ave como agradecimento aos seus devotos, demorando uma eternidade para fazê-lo, pois se perde na contagem e tem que começar sempre tudo outra vez. Ela é conhecida também por demorar para atender às súplicas de seus filhos. Iyásesú veste-se com as cores azul escuro, branco e verde, carrega o abebé e suas contas são de cristal verde translúcido.

· IEMANJÁ ·

Desde a criação dos homens por Oxalá, Iyásesú já se sentia ofendida com o desdém com que esses tratavam sua morada, o mar. Jogavam toda sorte de coisas e objetos que não mais queriam na vida. Coisas piores também faziam em suas águas. Desta forma, a casa de Iyásesú estava sempre suja e mal cuidada. Um dia ela foi até Olodumare e pediu a ele que tomasse uma providência sobre isso. O Criador assentiu aos pedidos de Iyásesú e, desde então, ela poderia, por meio do vaivém das ondas do mar, devolver à terra tudo aquilo que os homens jogassem. O que não pertence ao mar, a terra acolherá.

Os nomes atribuídos aos filhos de Iyásesú são:

- **Orílamí** – A cabeça enriqueceu-me
- **Okunkémí** – O mar cuida de mim
- **Iyásakin** – A mãe é poderosa
- **Omítósú** – Adorar a água é suficiente
- **Omíyomí** – As águas me salvaram

· IEMANJÁ ·

ATARAMAGBÁ

Muito semelhante a Oxum, essa Iemanjá é muito confundida com a deusa das águas frias dos rios. Ataramagbá, diferentemente da deusa do amor, gosta de conquistar seus amantes mas não quer permanecer com eles, tendo muitas relações afetivas. Assim foi com Ogum, com Xangô e com Oxalá. Linda e sensual, vaidosa ao extremo, Ataramagbá representa a beleza feminina na maturidade, além de apreciar o luxo e o conforto.

É também uma divindade conquistadora e não vê obstáculos diante de si, estando sempre disposta a contrariar seus seguidores caso eles não cumpram com seus rituais a contento. Diz-se nos terreiros que nunca se saberá se Ataramagbá realmente aceitará ou não suas oferendas. Esta Iemanjá veste-se de rosa, azul e branco, carrega o abebé e suas contas são de cristal translúcido.

Conta um mito que Ataramagbá se divertia conquistando homens pela terra e sempre o fazia quando

· IEMANJÁ ·

saía do mar. Nem mesmo seus filhos escapavam de seus olhares. Um deles, Xangô, foi o que mais despertou o interesse da mãe. Um dia, vendo seu filho nu dormindo em uma esteira, Ataramagbá não resistiu àquele corpo forte e musculoso e atirou-se sobre ele.

Xangô fugiu da investida da mãe, mas de nada adiantou: ela o perseguiu até a floresta. Xangô, mesmo desesperado, não conseguiu resistir aos encantos daquela mulher que deitada, nua, gemia e o chamava sobre ela. Os dois se enlaçaram e se amaram como amantes. O incesto havia acontecido.

Os nomes atribuídos aos filhos de Ataramagbá são:

- **Iyáwándé** – A mãe me visitou
- **Oríjàrè** – A cabeça está certa
- **Iyágbenlè** – A mãe me deixou triunfar
- **Iyátokún** – A mãe é tão poderosa quanto o mar
- **Omítobí** – A água é poderosa

• IEMANJÁ •

IYÁKONLÁ OU CONLÁ

Associada às profundezas dos rios e do mar, habita o limo e se esconde entre as algas, estando sempre na espreita a fim de conquistar alguém que se perca nesse local. É uma divindade velha, maternal, embora fique colérica quando é deixada de lado por seus devotos. Ciumenta e possessiva, Iyákonlá (ou Iemanjá Conlá) cuida de seus filhos com ardor, mas não lhes permite qualquer erro, por menor que seja. Alguns pais e mães de santo preferem não iniciar filhos dessa divindade, pois, invariavelmente, acontecem fatos desagradáveis durante o tempo de reclusão do filho de santo, dado que Iyákonlá é intempestiva, exigindo demais dos iniciadores.

Em alguns terreiros, o assentamento dessa Iemanjá está sempre enfeitado com várias bonecas simbolizando seus filhos na terra. Iemanjá Conlá veste-se de branco e prata e traz nas mãos o abebé; seus colares são contas de cristal translúcido. Muitas conchas e búzios devem enfeitar suas vestes rituais.

· IEMANJÁ ·

Conta um mito que, todas as noites, Iyákonlá saía das águas e se sentava entre as pedras esperando que algum homem passasse por ali, indo com ela para se amarem no fundo das águas. Em uma noite de lua nova, surgiu diante dela um caçador de nome Erinlé. Belo, forte e com olhar curioso, ele se encantou pela velha Iyákonlá. Enganado pela lua, imaginou que ela seria uma mulher jovem e encantadora.

Logo os dois entraram mar adentro e lá no fundo tiveram uma noite de amor como nunca Iyákonlá havia vivido. Adormeceram abraçados. Quanto a deusa despertou, percebeu que o caçador havia bisbilhotado seus guardados. Revoltada, lançou-se sobre ele e com um punhal cegou-o e cortou sua língua. Ao vê-lo sangrar e chegar quase à morte, Iyákonlá se arrependeu do ato cometido e, carregando o corpo do caçador, foi ao palácio de Olodumare, confessando o que havia feito. O Deus Supremo a repreendeu e decidiu transformar Erinlé em orixá. Entretanto, toda vez que Erinlé fosse falar no jogo de Ifá, seria Iemanjá Iyákonlá quem traria suas mensagens, já que ele não

· IEMANJÁ ·

tinha mais língua nem olhos. Mesmo contrariada com sua missão, Iyákonlá obedeceu para sempre à ordem de Olodumare.

Os nomes atribuídos aos filhos de Iyákonlá são:

- **Omíbéjidé** – A água chegou com a chuva
- **Omílárí** – As águas que vemos
- **Omítolá** – A riqueza das águas
- **Omínikèé** – A água deve ser louvada
- **Iyábáyodé** – A mãe chegou com alegria

IEMANJÁ MALELEO

Relacionada com a mata e com as Ia mi Oxorongá (mães-pássaro), Maleleo muitas vezes é confundida com os orixás das matas como Oxóssi e Ossâim. Na verdade, ela habita as margens dos rios, e sua relação com as folhas deve-se ao fato de possuir os encantamentos na preparação de banhos de ervas que curam vários males de seus devotos. Velha e traiçoeira, vingativa e introspectiva, Maleleo agirá

IEMANJÁ

dessa forma quando seus rituais não forem realizados pela madrugada e/ou tampouco suas oferendas forem levadas, parte delas à beira de um rio, e a outra parte às profundezas das matas.

Ela é tranquila, amável, fiel aos seus desígnios e, como todas as outras Iemanjá, é ciumenta e possessiva. Veste-se ritualmente nas cores verde e branca, carrega preso na roupa um arco e flecha além do abebé, e suas contas são verde-escuro translúcido.

Há um mito em que a cólera de Maleleo é manifestada. Em um tempo passado, os homens resolveram fazer uma grande festa em louvor aos orixás. Assaram inhame para Ogum, fizeram o omolocum para Oxum, o acarajé para Iansã e assim em diante para todos os outros deuses. Contudo, esqueceram-se de Iemanjá Maleleo. Ela, que a tudo assistia lá do fundo do mar, ficou enfurecida e conclamou as ondas e todos os seres marinhos para irem com ela destruir a terra e os homens que nela habitavam.

Assim surgiu à frente deles, amedrontando os homens que acorreram a Oxalá, pedindo que ele

• IEMANJÁ •

intercedesse. Oxalá escutou os homens e seguiu ao encontro de Maleleo, que já havia tragado boa parte da terra. O velho rei levantou seu opaxorô, determinando que Maleleo parasse com sua vingança: afinal, os homens foram criados por ele com alguns defeitos, e um deles era o esquecimento. Por respeito a Oxalá, Maleleo se deteve, mesmo contrariada. Naquele dia, aceitou dos homens as oferendas que lhe fizeram e voltou para o mar convencida do poder que Oxalá detinha sobre o mundo.

Os nomes atribuídos aos filhos de Maleleo são:

- **Iyábódedé** – A mãe chegou caçando
- **Sololámí** – A feiticeira fez um pacto com a riqueza
- **Sódípé** – A feiticeira me controla
- **Oríbanké** – A cabeça cuide bem de mim
- **Oríléké** – A cabeça triunfou

***

· IEMANJÁ ·

Devemos levar em conta que outras qualidades de Iemanjá podem ser cultuadas nos diversos terreiros de candomblé, dependendo da origem deste, ou seja, sua nação, ou de uma ou outra invocação muito particular a cada um.

Na umbanda, Iemanjá não tem qualidades, cultua-se o orixá geral, cuja figura branca, de cabelo longo e liso, vestindo uma túnica que cobre todo o seu corpo, pode ser vista em grandes estátuas existentes em muitas praias ao longo da costa brasileira. No cotidiano dessa religião, à frente dos orixás estão os caboclos, os pretos-velhos, as pombagiras, dentre outras entidades. Mas Iemanjá ocupa lugar importante, merecendo festas anuais nas praias do Brasil.

4 | Os filhos de Iemanjá

De acordo com as crenças nos terreiros de candomblé, os filhos de orixá herdam de seus pais divinos características físicas e de personalidade. Esses modelos de personalidade estão relatados nos mitos de cada orixá. Ser filho de Ogum significa ser briguento, arrogante, apaixonado e obstinado, assim como ser de Oxum significa ser amoroso, preguiçoso e, por vezes, fútil. Não é diferente com os filhos de Iemanjá, que são considerados generosos, voluntariosos, maternais e carinhosos, características associadas à Grande Mãe.

· IEMANJÁ ·

Na concepção religiosa, esses traços característicos são mostrados ao longo de toda a vida. A seguir, serão listadas características que permitiriam identificar os filhos de Iemanjá a partir de um estereótipo. Para começar, na infância, os filhos de Iemanjá são ciumentos e possessivos. Essas características aparecem principalmente na convivência com outras crianças que os rodearem, mesmo em um simples ato de dividir um brinquedo ou nas disputas tão comuns nas brincadeiras infantis.

Instáveis emocionalmente, gostam de dominar a relação e, por vezes, sufocam o companheiro por exigirem atenção e exclusividade. São fiéis ao companheiro e cobram do outro a mesma conduta. É difícil defini-los como um tipo sexualmente potente, já que, invariavelmente, tomam uma posição maternal na relação afetiva, tal qual uma mãe zelosa e protetora. Por se considerarem necessários e exclusivos, os filhos de Iemanjá rivalizam com seus possíveis concorrentes, até mesmo com aqueles que são puramente frutos de sua imaginação, não admitindo que são inseguros

• IEMANJÁ •

no tocante aos afetos. São vingativos quando traídos e esperam anos a fio para verem quem os traiu em uma situação delicada ou constrangedora. Por essas características, os filhos de Iemanjá são rancorosos e jamais perdoam, mesmo que seu julgamento não se comprove.

Quando se trata de sua família biológica ou religiosa, os filhos de Iemanjá dão valor extremo a essa relação, cuidando dos entes queridos em qualquer situação. Sempre acabam por entrar na vida pessoal de alguém, pois gostam de aconselhar e expor sua opinião. Óbvio que isso demanda desentendimentos e julgamentos precipitados. Em contrapartida, dificilmente permitirão que entrem em suas vidas pessoais ou que alguém opine sobre quaisquer de suas atitudes. Exagerados, tornam-se arrogantes muito mais pelo fato de se defenderem de qualquer contrariedade, principalmente quando se magoam ou se ofendem, coisas que acontecem com facilidade. São sonhadores e idealizam a vida a partir de uma concepção muito pessoal, sem terem

· IEMANJÁ ·

o caráter ganancioso dos filhos de Xangô. Os filhos de Iemanjá apreciam a vida luxuosa e rica e não medem esforços para atingi-la, o que os leva, em algumas situações, a se relacionar com pessoas que estão em uma condição financeira mais privilegiada que a sua. Idealizadores, sonham com a estabilidade financeira e social, porém pouco sabem planejar e pôr em prática esses planos, uma vez que não são pessoas dadas a fazer economia ou planejar a vida de forma sistemática. Filhos de Iemanjá podem ser perdulários ou até mesmo avarentos, não importando aonde uma dessas atitudes os levará.

Como amigos são zelosos, francos e fiéis. Sempre se sentindo responsáveis pelos outros, estarão à disposição em todos os momentos, não medindo esforços para ajudar em qualquer situação. Os filhos de Iemanjá prestam inúmeros favores sem medir consequências, mas também cobram na mesma proporção aquilo que se dispuserem a oferecer. Por isso, ao longo da vida, colecionam um sem número de amigos que não necessariamente se mantêm próximos.

· IEMANJÁ ·

No trabalho, filhos de Iemanjá são colaboradores tranquilos e cientes de seus deveres. Aprendem com minúcia cada detalhe de suas atividades profissionais e gostam de fazê-lo muito mais pelo fato de serem agraciados com elogios de seus superiores do que pelo prazer pessoal. Concorrem com seus colegas de forma velada; sabem de tudo, inclusive da vida pessoal de cada um, não poupando estratégias para descobrirem o que desejam. Ao mesmo tempo, podem tornar-se amigos pessoais de seus colegas de trabalho, fazendo com eles o que de hábito fazem com quem os rodeia: cuidam, zelam e estão sempre prontos a ouvir.

Por esta capacidade de interlocução no trabalho, são excelentes líderes de grupo, distinguindo-se dos demais por utilizarem seu jeito maternal de conduzir as relações interpessoais.

Como religiosos, filhos de Iemanjá são dedicados aos líderes a quem seguem e também a seus seguidores, caso optem por liderar algum grupo religioso. Nos terreiros é fácil distinguir os filhos de Iemanjá.

· IEMANJÁ ·

Estão sempre às voltas com organizar os rituais, preocupam-se com o bom andamento desses e, sempre que podem, são obstinados em dar não só a Iemanjá, mas a todos os outros orixás, o melhor de que são capazes. Como são observadores natos, os filhos de Iemanjá buscam sempre o aprendizado de forma muito discreta, não têm a eloquência dos filhos de Iansã e tampouco a indiscrição dos filhos de Ogum. Movem-se de forma lenta e atenciosa, buscando junto aos seus iniciadores o conhecimento de que necessitam, de forma que esses, sem que percebam, entregam-lhes incontestavelmente os ensinamentos mais secretos. Em geral, filhos de Iemanjá dão bons pais e mães de santo.

5 | A DANÇA DE IEMANJÁ

O povo negro foi extremamente importante para a formação da música e da dança brasileiras. Entre os séculos XVI e XIX, vários milhões de africanos foram trazidos como escravos. Vieram de diferentes partes de seu continente, representando diversas culturas. Com eles veio não só a religião, mas também um extraordinário senso de ritmo e um tipo de movimento corporal que os portugueses não tinham. A própria religião trazida pelos escravos tinha uma concepção completamente diferente do corpo. Essa religião funcionou como uma espécie de memória cultural viva do passado. As escravas brasileiras libertas, inclusive, utilizaram-se da possibilidade de formar confrarias católicas para organizar as diferentes etnias, o que possibilitou, mais tarde, a reorganização dos antigos cultos africanos. Surgia assim, na Bahia, o candomblé, nome que prevaleceu quando se espalhou por outras partes do Brasil.

O candomblé é uma religião de transmissão oral que não tem livro nem doutores da lei, que não conta com elaboração teológica nem com dispositivos capazes de promulgar verdades religiosas. O corpo religioso do candomblé se constitui de ritos e mitos, uns referidos aos outros. Tudo se transmite sem a mediação da escrita, apesar do que já foi escrito desde o século XX por centenas de estudiosos e pesquisadores. Por se acreditar que neste mundo tudo se repete, porque a vida se manifesta na circularidade do tempo africano, recorre-se cotidianamente ao oráculo e outras formas de adivinhações. Também pelo oráculo os deuses informam suas vontades e

• IEMANJÁ •

ensinam aos consulentes fórmulas para alcançarem uma vida sem sofrimento. Por trás disso tudo está a crença de que deuses e homens estão originalmente unidos por meio de laços familiares construídos pelos sucessivos renascimentos que se seguem à morte. Essa aproximação se concretiza quando rituais acontecem e os deuses dançam em conjunto com os humanos.

Reginaldo Prandi descreveu, em seu livro *Mitologia dos orixás* (2001, p. 526-528), um mito que fala tanto da criação do candomblé quanto da importância da dança na convivência entre deuses e homens.

> No começo não havia separação entre o Orum, o Céu dos orixás, e o Aiê, a Terra dos humanos. Homens e divindades iam e vinham, coabitando e dividindo vidas e aventuras. Conta-se que, quando o Orum fazia limite com o Aiê, um ser humano tocou o Orum com as mãos sujas. O céu imaculado do Orixá fora conspurcado. O branco imaculado de Obatalá se perdera. Oxalá foi reclamar a Olorum. Olorum, Senhor do Céu,

· IEMANJÁ ·

Deus Supremo, irado com a sujeira, o desperdício e a displicência dos mortais, soprou enfurecido seu sopro divino e separou para sempre o Céu da Terra. Assim, o Orum separou-se do mundo dos homens e nenhum homem poderia ir ao Orum e retornar de lá com vida. E os orixás também não podiam vir à Terra com seus corpos. Agora havia o mundo dos homens e o dos orixás, separados. Isoladas dos humanos habitantes do Aiê, as divindades se entristeceram. Os orixás tinham saudades de suas peripécias entre os humanos e andavam tristes e amuados. Foram queixar-se com Olodumare, que acabou consentindo que os orixás pudessem vez por outra retornar à Terra. Para isso, entretanto, teriam que tomar o corpo material de seus devotos. Foi a condição imposta por Olodumare.

Oxum, que antes gostava de vir à Terra brincar com as mulheres, dividindo com elas sua formosura e vaidade, ensinando-lhes feitiços de adorável sedução e irresistível encanto, re-

· IEMANJÁ ·

cebeu de Olorum um novo emprego: preparar os mortais para receberem em seus corpos os orixás. Oxum fez oferendas a Exu para propiciar sua delicada missão. De seu sucesso dependia a alegria dos seus irmãos e amigos orixás. Veio ao Aiê e juntou as mulheres à sua volta, banhou seus corpos com ervas preciosas, cortou seus cabelos, raspou suas cabeças, pintou seus corpos. Pintou suas cabeças com pintinhas brancas, como as penas da galinha-d'angola. Vestiu-as com belíssimos panos e fartos laços, enfeitou-as com joias e coroas. O ori, a cabeça, ela adornou ainda com a pena de ecodidé, pluma vermelha, rara e misteriosa do papagaio-da-costa. Nas mãos as fez levar abebés, espadas, cetros, e nos pulsos, dúzias de dourados indés. O colo cobriu com voltas e voltas de coloridas contas e múltiplas fileiras de búzios, cerâmicas e corais. Na cabeça pôs um cone feito de manteiga de ori, finas ervas e obi mascado, com todo condimento de que gostam os orixás. Esse "ôxu" atrairia o orixá ao ori da

· IEMANJÁ ·

iniciada, e o orixá não tinha como se enganar em seu retorno ao Aiê. Finalmente as pequenas esposas estavam feitas, estavam prontas, e estavam odara. As iaôs eram as noivas mais bonitas que a vaidade de Oxum conseguia imaginar. Estavam prontas para os deuses.

Os orixás agora tinham seus cavalos, podiam retornar com segurança ao Aiê, podiam cavalgar o corpo das devotas. Os humanos faziam oferendas aos orixás, convidando-os à Terra, aos corpos das iaôs. Então os orixás vinham e tomavam seus cavalos. E, enquanto os homens tocavam seus tambores, vibrando os batás e agogôs, soando os xequerês e adjás, enquanto os homens cantavam e davam vivas e aplaudiam, convidando todos os humanos iniciados para a roda do xirê, os orixás dançavam e dançavam e dançavam. Os orixás podiam de novo conviver com os mortais. Os orixás estavam felizes. Na roda das feitas, no corpo das iaôs, eles dançavam e dançavam e dançavam. Estava inventado o candomblé.

· IEMANJÁ ·

O candomblé é uma religião de transe, que permite aos deuses orixás dançarem no corpo dos devotos. O corpo serve ao ser humano, e serve às divindades. Sem o corpo humano, não há religião, porque o orixá não pode se mostrar aos homens e mulheres nem com eles conviver nos ritos de confraternização. Sem o corpo dos mortais, os deuses não poderiam ser agradados, logo deixariam de favorecer os humanos. O corpo humano é usado pelo orixá para fazer o que ele mais gosta: dançar. É por meio da dança que o orixá se apresenta na cena ritual, e é numa coreografia própria a cada um que o deus revela sua identidade. Acerca da dança no candomblé, Roger Bastide (1978) escreveu: "as danças constituem a evocação de certos episódios da história dos deuses. São fragmentos de mitos, e o mito deve ser representado ao mesmo tempo que falado para adquirir o poder evocador."

A dança é o coroamento de uma longa sequência de trocas entre deuses e mortais, que se inicia com as oferendas votivas, quando os sacerdotes oferecem às divindades suas comidas e bebidas prediletas, além

· IEMANJÁ ·

de outros presentes. Desde o início, o respeito ao prazer de comer obriga os sacerdotes a conhecer e atender ao paladar de cada orixá. Depois, cada orixá, devidamente manifestado no corpo de seu sacerdote, dança ao som dos atabaques, agogôs e xequerês segundo seus ritmos próprios e coreografias que falam de suas proezas míticas e virtudes heroicas. O orixá fala por gestos, comunica-se por movimentos do corpo do iniciado. Segundo Gisèle Cossard (1970), "a dança reproduz em movimentos e gestos, com o apoio da indumentária, a história e os feitos dos seres sobrenaturais, ou orixás, que são cultuados pela comunidade."

Quando a dança chega ao final, antes de deixar o salão, o orixá incorporado abraça seus devotos e os impregna com seu axé, a energia sagrada transmitida, nessa circunstância cerimonial, pelo suor que molha o corpo exaurido do iniciado para o orixá. São muitas as danças do candomblé, cada uma delas concebida para celebrar ou aplacar um orixá. Seguem até hoje o costume tribal do círculo, ao som de vigorosa

· IEMANJÁ ·

percussão que favorece o estado de transe. Esse tipo de ritual, tão popular no Brasil, pode ser encontrado também em Cuba, no Haiti, em certas partes da Venezuela (culto a Maria Leoncia) e no sul dos Estados Unidos, com pequenas variações.

Há que se ressaltar que o candomblé é uma religião iniciática, que pressupõe longo aprendizado e lenta e pormenorizada preparação do corpo. Afinal, se o corpo humano é o veículo dos deuses em seu retorno à materialidade da Terra, é preciso sacralizá-lo. O corpo traz a marca indelével de seu deus particular. Vestido, adornado, recebe respeito, admiração e aplausos entusiasmados nas festas públicas dos terreiros, porque candomblé se faz com festa, com muita música, dança e comida consagrada (Amaral, 2002). Da cabeça aos pés, no candomblé, o corpo é visto como um altar, no qual se derrama o sangue do sacrifício e, por isso mesmo, ele é construído com práticas rituais na longa trajetória religiosa que sempre se repete, num círculo infindável.

· IEMANJÁ ·

No candomblé, três momentos são importantes para entender a sistemática de como a dança acontece: o sacrifício votivo, a festa pública e o banquete.

O *sacrifício* é o conjunto de oferendas para se louvar o orixá, buscando sua proteção, sua benevolência. Parte-se do princípio de convivência com o antepassado, daí a necessidade de alimentá-lo, como qualquer outro membro da família. Deriva daí o caráter sacrificial dessa religião. Em alguns terreiros, concluído o ritual do sacrifício, os orixás se manifestam no corpo de seus iniciados e dançam ao som dos atabaques. Nessa ocasião eles não estão paramentados com suas vestes rituais, apenas dançam como forma de agradecimento pela oferenda recebida. Os sacrifícios são assistidos apenas pela comunidade do terreiro.

Nesse mesmo dia ocorre a **festa pública** em louvor ao orixá, o toque, quando ocorrem as danças rituais. Assim como na África, nos terreiros de candomblé todo acontecimento importante é marcado pela celebração de um ritual expresso com o corpo e com

· IEMANJÁ ·

o movimento. A festa acontece num salão do terreiro, que normalmente é a maior construção do local. Os adeptos dançam em forma circular no sentido anti-horário. Os sacerdotes explicam tal fato dizendo que o tempo dos orixás não é o tempo dos homens.

Colocando-se em comunicação com a natureza, o corpo expressa seus sentidos mais profundos. Segundo Susanna Barbara (2002), "para o candomblé, o corpo humano é formado pelas energias do cosmo (água, terra, mata, ar e fogo, que é percebido como o ar em movimento). Esses elementos juntam-se segundo diferentes padrões e têm significados mágicos e religiosos diferentes." A dança é, assim, a expressão do conteúdo mais profundo do ritual. É ela que constrói, no começo da festa de candomblé, o espaço sagrado, desenhado em círculo. Os filhos de santo dançam uns atrás dos outros, seguindo a hierarquia por tempo de iniciação ou por posição hierárquica ocupada no terreiro. É a dança que chama os orixás para descerem; é ela o meio pelo qual o homem coloca-se em contato com a divindade

• IEMANJÁ •

através do transe de possessão. A dança sagrada dos orixás tem assim o sentido de propiciar a criação e a recriação de laços afetivos entre os membros do grupo.

O *banquete* é servido depois das danças, mas também a entrada dos alimentos no salão é precedida por uma dança em que se mostram ao público as comidas sagradas dos orixás. Ou seja, em qualquer momento, nos rituais do candomblé, as danças estão presentes. O candomblé é, por excelência, a religião afro-brasileira que mantém as características tradicionais africanas, seja na cosmogonia, seja no ritual.

O candomblé procura fortalecer a harmonia entre o indivíduo e a natureza, entre o indivíduo e seu semelhante, e a harmonia consigo mesmo. Por isso qualquer planta, qualquer pedra, qualquer coisa tem um sentido, e esses elementos têm uma ligação entre si. Os fiéis de um terreiro estão juntos não só numa prática religiosa, mas também numa estrutura sociocultural cujos conteúdos recriam um vínculo com os espíritos ancestrais africanos. Nas danças rituais isso é muito claro e, sem sombra de dúvida, elas nos remetem à sua origem africana.

AS CANTIGAS E SUAS DANÇAS

Quando o orixá retorna à terra para dançar, ele mostra os seus poderes, representando em gestos suas ações míticas. As danças de Iemanjá nos apresentam vários aspectos coreográficos nos quais as mãos têm um papel fundamental. Tomando como exemplo algumas cantigas de Iemanjá que são entoadas nos dias de festa nos terreiros, serão descritos a seguir os significados dos movimentos expressos em cada uma das coreografias correspondentes.

Àwàà à boayó
Yẹmọjá à wàà boayó
Yẹmọjá
Estamos protegidos por Iemanjá
Iemanjá nos protege e nos enche de alegria

· **IEMANJÁ** ·

Ritmo: Sató
Coreografia:
- Movimentação das pernas: deslizando os pés pelo chão, leva-se a perna direita para a frente e depois junta-se a ela a perna esquerda; leva-se a perna esquerda para a frente e depois junta-se a ela a perna direita, num movimento alternado das pernas para a frente e para trás.
- Representação: movimento ondulado representando a transformação de Iemanjá, de mulher em peixe.
- Movimentação dos braços e do tronco: os braços em movimentos ondulantes com as mãos no ar, na altura da cintura, abrindo e fechando o cotovelo. Tronco ligeiramente arcado para a frente.
- Representação: a movimentação das mãos simboliza o movimento das águas.

Ìyáàgbá ó dé ire sé a kiiye Y̱e̱mo̱já
A kokopè ilê gbéaóyóodòòfi a sàwèrè ó

• IEMANJÁ •

A velha chegou fazendo-nos felizes, nós saudamos Iemanjá

A primeira que chamamos para abençoar a nossa casa e nos encher de alegria

Escolhemos o rio para nos banhar, o rio que escolhemos é o que usas (Iemanjá)

Ritmo: Sató

Coreografia:

- Movimentação das pernas e do corpo: deslizando os pés pelo chão, leva-se a perna direita para a frente e depois junta-se a ela a perna esquerda; leva-se a perna esquerda para a frente e depois junta-se a ela a perna direita, num movimento alternado das pernas para a frente e para trás. Deslocamento do corpo em círculo com os mesmos passos.
- Representação: a movimentação simboliza as águas em pequenos redemoinhos.
- Movimentação das mãos: movimentos circulares para baixo e para cima, ondulantes.

· IEMANJÁ ·

- Representação: simbolizam Iemanjá apanhando as águas e jogando-as sobre os seguidores em forma de bênçãos.

Orí ire Yemojá
Orí, orí ire Yemojá
Cabeça favorável Iemanjá
Nos dê cabeça favorável Iemanjá

Ritmo: Bravum

Coreografia:
- Movimentação das pernas: deslizando os pés pelo chão, leva-se a perna direita para a frente e depois junta-se a ela a perna esquerda; leva-se a perna esquerda para a frente e depois junta-se a ela a perna direita, num movimento alternado das pernas para a frente e para trás.
- Representação: Iemanjá caminhando pelas águas.
- Movimentação das mãos: mãos espalmadas e colocadas uma na testa e a outra na nuca, num movimento circular, trocando-as de posição.

· IEMANJÁ ·

- Representação: as mãos colocadas sobre a testa e a nuca pedem a intervenção de Iemanjá para se ter uma cabeça forte e tranquila.

Orí yè!
Iyá lá rere Alá oiyè
Ò Iyásesú
Òrisá ni iyán
Òlyákòrò
Ifúnma jê
Iníiyááiyágbá
Yemojákòkè
Tótó Alá rere Alá oiyè

Mãe da cabeça
Mãe que tem poder sobre a cabeça
Iasessú
Orixá comedor de inhame
Mãe que possui um diadema
Seu poder traga tudo
Mãe velha e poderosa

· IEMANJÁ ·

Iemanjá, não se irrite
Ela está verdadeiramente distante e me ordena
Ritmo: Bravum
Coreografia:
- Movimentação das pernas e do corpo: deslizando os pés pelo chão, leva-se a perna direita para a frente e depois junta-se a ela a perna esquerda; leva-se a perna esquerda para a frente e depois junta-se a ela a perna direita, num movimento alternado das pernas para a frente e para trás. Simultaneamente o quadril vai para o lado direito e esquerdo, flexionando as pernas, curvando o corpo para a frente.
- Representação: Iemanjá está saindo das águas em direção à terra, levando consigo todo o lixo jogado pelos homens.
- Movimentação das mãos: movimentações circulares de dentro para fora, dobrando o braço e os cotovelos em movimentos ondulantes.
- Representação: Iemanjá traz nas mãos tudo o que jogaram nas suas águas e que não lhe pertence.

· IEMANJÁ ·

Odò o fí o fio odò
Iyákékéré (bis)
Iyágbolyá (bis)
Iyákékéré
Iyágbolyá (bis)
Iyákékéré
O rio que se move de um lado a outro
Mãe pequena
Mãe guerreira, mãe guerreira
Mãe pequena

Ritmo: Batá rápido

Coreografia:

- Movimento do corpo: movendo os quadris de um lado para o outro; desta forma o corpo se move levando os pés, arrastando-os. Os braços são alternados com os cotovelos encostados próximos ao corpo, num movimento para cima e para baixo. Vez por outra a batida do tambor leva a movimentos circulares, precedidos por um movimento onde o corpo fica parado, as mãos continuam se movimentando na mesma posição

· IEMANJÁ ·

e uma das pernas é levantada e abaixada por três vezes, e daí ocorre o movimento circular.
- Representação: a cantiga conta que o rio é imenso, Iemanjá é uma mãe pequena e muito forte. O movimento circular conta-nos acerca de como Iemanjá por vezes se enfurece quando lhe sujam a casa, as águas.

Odòníilè Yemojá
Odòní ilê àoyó (bis)
No rio nós estamos na casa de Iemanjá
No rio estamos em nossa casa preferida
Ritmo: Batá rápido
Coreografia:
- Movimento do corpo e dos braços: braços articulados diante do tronco, mãos com movimentos circulares, os braços sobem e descem compassadamente. Pés arrastados num só sentido, acompanhando o tronco na movimentação.
- Representação: Iemanjá recebe seus filhos nas águas e faz grande comemoração.

IEMANJÁ

Kínijékínijéolòdò
Yemojá ó
A kó ta ni derè sè
Àoyóomirò
Quem é a dona do rio?
É Iemanjá quem invocamos com respeito
Mãe do rio, água que acalma

Ritmo: Aguerê

Coreografia:

- Movimentação do corpo: três passos na diagonal, fecha a perna esquerda. Na parada, tiram-se os dois calcanhares do chão por três vezes, repetindo consequentemente, os quadris fazem movimentos laterais.
- Representação: a caminhada de Iemanjá mostrando seu poder de defesa das águas, com seu abebé.
- Movimentação dos braços e das mãos: um braço atrás do tronco e o outro estendido com as mãos espalmadas. Na parada as mãos continuam estendidas e ligeiramente flexionadas.

· IEMANJÁ ·

- Representação: Iemanjá carrega o abebé, que é um instrumento de defesa.

Yemojáodò
Òdo já rewo (bis)
Iemanjá é o rio
Rio me dê seu segredo

Ritmo: Aguerê

Coreografia:

- Movimentação das pernas: movimento ondulante das pernas, tirando uma perna do chão e levantando ligeiramente os pés em três passos laterais.
- Representação: Iemanjá dança sobre as águas que defende.
- Movimentação das mãos: os braços são soltos e com leveza eles se movimentam de um lado a outro.
- Representação: Iemanjá caminha sobre as águas num bailado gracioso.

· IEMANJÁ ·

A dança de Iemanjá apresenta uma dinâmica de movimentos que faz lembrar o movimento das águas dos rios ou do mar.

Por fim, vale ressaltar que, assim como a dança, a música tocada nos terreiros de candomblé desempenha seu papel nos dois momentos básicos que ditam as atividades dessas comunidades: primeiro na música-evento, quando todos participam com o objetivo de fazer música e socializar-se (Kaemmer, 1993); segundo, no evento-música, quando o grupo de músicos toca em razão de uma ocasião particular da vida da comunidade. Quando se organiza uma cerimônia religiosa no candomblé, costuma-se dizer genericamente "tocar ou bater um candomblé", ou simplesmente "fazer um toque", indicando assim claramente a natureza do evento e demonstrando o poder simbólico-religioso da dança e da música.

6 | A CERIMÔNIA DO BORI

Um aspecto fundamental para a compreensão da importância da realização da cerimônia do bori (b*o*rí ou *e*b*o*ri, comida à cabeça) é a ideia de que, quando um ser humano nasce, ele traz consigo uma escolha feita antes de sua chegada à Terra: a escolha de seu ori, a cabeça. Nossa história, nossas características pessoais e outros fatores dependerão dessa escolha. Lembremos que também nós fomos escolhidos por um orixá que "nos pegou no colo", que nos imprimiu algo de sua essência divina (Amaral, 2002). O ori

• IEMANJÁ •

---

contém nossa personalidade, emoções internas e tudo aquilo que está dentro do cérebro, e é também considerado o receptáculo do orixá. Como lembrou Monique Augras (1983), "o homem é o microcosmo, onde se enleiam todas as forças do mundo. Possui significado individual (ori, cabeça), caminho pessoal (odu, destino), capacidade própria de transformação (Exu)" e ainda "sua cabeça foi moldada pelo oleiro divino, a partir de algum material que o aparenta com os orixás."

A importância do ori também é relatada na frase iorubá: *Ko si orí, ko si orixá* – "sem cabeça, não tem orixá". Ou seja, há que se buscar um equilíbrio para a cabeça. Esse equilíbrio pode ser alcançado tanto com uma cerimônia simples, na qual apenas um obi (noz de cola) e uma travessa de canjica branca cozida são ofertados, como em cerimônias mais complexas, como a do bori.

Cultuar o ori, ou alimentar o ori, é o primeiro ritual que deve ser cumprido dentro de um terreiro. Não há como adorar um orixá, oferecer tudo o que se

• IEMANJÁ •

pode a ele, sem antes ter a cabeça equilibrada. Esse ritual deve ser renovado todos os anos no terreiro, uma vez que a cabeça é considerada uma divindade. Ao renová-lo, reitera-se o renascimento humano por meio das forças divinas. Louvar o ori é louvar a vida, adiando, assim, a morte.

Nesta cerimônia o ori é materializado por meio de um assentamento. Passa-se a ter a representação material do que é espiritual. E, a partir de então, todas as vezes que alimentarmos o orixá, deveremos, antes, alimentar o ori.

O que determina se uma pessoa deve ou não realizar um bori é o jogo de búzios. O sacerdote-chefe é quem poderá indicar se é o momento ideal, ou como proceder caso a pessoa não queira seguir como filho de santo, uma vez que não é fundamental ser da religião para realizar este ritual.

· IEMANJÁ ·

O EBÓ

Na maioria das vezes, é necessário fazer o ebó, em alguns casos chamado de sacudimento, antes que se realize o bori. O ebó tem a função de limpar os caminhos da pessoa e avivar novas energias, afastando sensações ruins e enfermidades. Descreveremos a seguir os elementos básicos necessários para sua realização:

- 7 pratos de farofa (sete porções de farinha de mandioca, cada uma misturada com um dos elementos seguintes: azeite de dendê, mel, cachaça, azeite doce, carvão, pólvora e água)
- 1 prato de feijão-preto cozido
- 1 prato de feijão-fradinho cozido
- 1 prato de feijão-roxinho cozido
- 1 prato de milho amarelo cozido
- 1 prato de arroz cozido
- 1 prato de milho de canjica cozido
- 7 ovos brancos
- 7 velas brancas
- 7 acaçás

· IEMANJÁ ·

- 1 bacia de milho de pipoca estourado
- 3 pedaços de pano (um preto, um branco e um vermelho)
- 1 repolho picado em tiras

Esses alimentos são dispostos em forma de semicírculo no sentido anti-horário. O filho de santo fica no meio desse semicírculo. Inicia-se cantando para Exu. Cada alimento é passado no corpo da pessoa e depois colocado em um alguidar, precedido de um cântico evocativo que tem a função de expulsar os males daquele corpo. Terminado o ebó, o filho de santo entrega suas vestes e estas são rasgadas e colocadas junto ao ebó. Depois, tudo é despachado em local determinado pelo sacerdote, em geral alguma estrada de terra, onde se acredita que Exu more, pois é ele quem leva os pedidos do requerente aos outros orixás.

· IEMANJÁ ·

A SASSAIM

Após o ebó, o filho de santo toma um banho com *osedudú* (sabão da costa) e fica recolhido no roncó à espera da sassaim, um banho que será preparado a partir da maceração de diversas folhas.

O olossaim é o filho de santo responsável por apanhar as folhas necessárias para a sassaim. As folhas, *ewés*, são apanhadas durante o alvorecer. Pede-se licença a Ossâim e canta-se para ele enquanto cada uma é colhida. Cada ritual exige determinados tipos de folhas. As folhas são colocadas em uma bacia com água e o olossaim começa a quiná-las. Durante a preparação da sassaim para o bori, o pai de santo puxa as cantigas para cada folha que foi colhida e é acompanhado pelo olossaim e pelos filhos que estiverem presentes. A seguir, utilizando-nos da pesquisa de José Flávio Pessoa de Barros e Eduardo Napoleão (1999), damos alguns exemplos das cantigas entoadas no ritual da sassaim.

· IEMANJÁ ·

Pèrègúnàlàwatitun
Pèrègúnàlàwatitun o
Bàbáj'orò 'juàlà o m_e_rin
Pèrègúnàlàwatitun
Peregum puro e tenro
Peregum puro e tenro
Pai responda aos fundamentos do culto
Peregum puro e tenro

*Ò_dúndún_Bàbá t'è_rò_ 'l_e_*
*Ò_dúndún_Bàbá t'è_rò_ 'l_e_*
*Bàbá t'e_ro_ 'l_e_*
*Malè t'e_ro_ 'l_e_*
*Ò_dúndún_Bàbá t'è_ro_ 'l_e_*
Odundum, Pai, espalhe a calma sobre a terra
Odundum, Pai, espalhe a calma sobre a terra
Pai, espalhe a calma sobre a terra
Odundum, Pai, espalhe a calma sobre a terra

*B_e_l_e_b_e_ ni t'ób_e_*
*B_e_l_e_b_e_ ni t'ób_e_*

• IEMANJÁ •

K'akakAnokuwo
Belebe
Belebe ni t'óbe
Suavidade possui a faca
Suavidade possui a faca
Que nós, em todo lugar, alcancemos a felicidade
Suavemente
Suavidade possui a faca

Tètèrègúnòjò do mi pa
Tètèrègúnòjòwo bi wá
Teteregum é como a chuva que mata
Teteregum é como a chuva que dá vida

A sassaim representa o sangue das folhas que foi extraído por sua maceração. Portanto, é um ritual de extrema importância dentro do terreiro, uma vez que toda a energia e suas propriedades estão sendo extraídas. Seu líquido fica verde-escuro e seu odor é agradável e fresco. Ao acabar de entoar as cantigas, o pai de santo reza o oriqui:

· IEMANJÁ ·

Kosiewe, kosiòrisá
Ewenjé
Ogún ti o jé
Ewe ré ni ko pé
Ewewásá
Sem folhas, não existe orixá
As folhas funcionam
Os remédios funcionam
Remédio que não funciona
É por que tem folha faltando
Folha vai dar certo

O BORI

Para que o bori seja realizado, é necessário que a representação do ori (a tigela de louça, o prato, a quartinha, os búzios e uma moeda) sejam lavados com osédudú (sabão da costa) e com uma bucha feita de palha da costa, passados no banho de amassi e, posteriormente, uma fina camada de ori (manteiga de

• IEMANJÁ •

carité) é aplicada. Também são lavados o contra-egum (trança de palha da costa) e o fio de contas branco. O canto deste ritual é:

Omíl'ayómámá
Omíl'ayómámá
Omíta ni orí, orí, orí o
E mámáso
E mámásoomí
Mojí ni orí Alá
Ó bèriomon
Água dá alegria verdadeiramente
Água dá alegria verdadeiramente
Água ilumina a cabeça
Produz verdade
Sobre minha cabeça o pano branco
Saúda o filho

Nesse momento, o pai de santo separa uma parte da sassaim e leva o filho de santo (que esteve presente durante todo o ritual, desde a preparação da sassaim) para tomar um banho das folhas e lavar sua

· IEMANJÁ ·

cabeça com o mesmo banho que lavara os elementos representativos de seu ori. O filho de santo deve ter um pano branco posto sobre o peito, estar de ori coberto e ficar sentado em posição longitudinal diante das comidas, com as mãos estendidas.

Para que o ritual seja iniciado, todas as comidas devem estar diante do ibá-ori (recipiente do assentamento):

- 1 casal de pombos
- 1 tigela de canjica branca cozida
- 8 bolas de inhame (após descascar, cozinhar e amassar os inhames, fazem-se as bolas, sempre umedecendo as mãos com água para que se possa moldar de forma lisa)
- 8 acarajés
- 8 acaçás (mingau grosso de farinha de milho branco cozido, enrolado em forma de triângulo na folha de bananeira)
- 1 peixe assado
- frutas diversas

- temperos: azeite de dendê, mel, gim, sal, pimenta-da-costa, água fresca e alguma especificidade se for o caso.

A partir daí, o pai de santo pede que a pessoa pense em coisas boas que deseja para si, e pronuncia:
Orí mopèjé, orí mopèmú
Orí o
Orí o père
A cabeça vai comer, a cabeça vai beber
a cabeça
a cabeça trará coisas boas

Entoa-se então a seguinte cantiga:
Boríboríewe o
Kolobose ni, kolobose ni kolobo
igbá-oríkankaure o

Os filhos de santo devem responder:
Kolobose ni, kolobosenikolobo

· IEMANJÁ ·

Durante essa cantiga, cada elemento do bori é apresentado ao ori, às pontas dos pés e às palmas das mãos do filho de santo: o ibá-ori, a quartinha, o fio de miçangas, o contra-egum e assim por diante, permanecendo na mão da pessoa somente a tigela de louça. Em seguida, louva-se Iemanjá, a dona das cabeças, poder que lhe foi atribuído por Obatalá conforme conta o mito:

Orí o, Yemojánise temi o
Yemojánisetemi o
Yemojánise temi o
Cabeça, Iemanjá age sobre mim
Iemanjá age sobre mim
Iemanjá age sobre mim

Em seguida, Orunmilá é saudado, pois é a divindade responsável pelo oráculo sagrado de Ifá, ou seja, aquela que prepara o destino de todos os seres humanos na Terra:

Oríkafe já borí o
Oríkafe já

• IEMANJÁ •

Oríkafe já borí o
Oríkafe já
Oríkafe já Orunmilá
E kobokoto
Ibitíbereke, bereke
Ibitíbereke, bereke
Oríjanjan
Cabeça é adorada quando recebe comida
Cabeça é adorada quando recebe
Cabeça é adorada quando recebe comida
Cabeça é adorada quando recebe
Cabeça amada recebeu de Orunmilá
Saudado com adoração quem deu nascimento com dignidade
Cabeça propícia

Posteriormente, inicia-se a preparação do ôxu pelo pai de santo. É pelo ôxu que o ori irá se alimentar. O pai de santo joga o obi, perguntando ao ori se as oferendas estão do seu agrado. Em caso afirmativo, o filho de santo come um pedaço desse obi e o pai de

· IEMANJÁ ·

santo mastiga o restante, preparando assim uma massa para colocá-la na parte superior da cabeça do filho. Quando colocada, todos os filhos de santo gritam: *Ori ô!* Agora, por meio do ôxu, o ori poderá ser alimentado e assim fica estabelecida a primeira ligação entre o pai de santo e o filho de santo por meio da saliva.

Após o ôxu estar pronto, os pombos serão oferecidos. Inicia-se pelo macho, depois a fêmea. Suas cabeças são retiradas e seu ejé (sangue) é colocado sobre o ôxu, na ponta dos pés (para simbolizar que os antepassados também foram louvados) e no fio de miçangas. É por meio do sangue do pombo que a cabeça irá comer. Nesse momento a vida é renovada, pois troca-se, simbolicamente, a vida do animal pelo prosseguimento da vida do filho de santo.

Eiyelé
Enwáj'adié
Ojúmonmon
Àgòàlá
Olórungbásé
Ojúmonmonl'sé

· IEMANJÁ ·

O pombo
É vossa galinha
o dia já amanheceu
Com licença do alá (da pureza)
Que recebamos a bênção de Olorum
o dia já amanheceu, senhor da força

Após ser vertido todo o sangue do pombo, ele é colocado sobre o prato, é limpo, cozido e depois servido ao ori. As cabeças são postas dentro do ibá-ori e algumas penas são retiradas para enfeitar tanto a quartinha como o ibá-ori. Cada comida passa a ser oferecida ao ori: uma parte é posta sobre o ori, outra dentro do ibá-ori, outra é dada ao filho de santo e outra é ingerida pelo pai de santo. Todos os alimentos são louvados e desejos bons são feitos ao filho de santo. Após cada alimento ser ofertado, joga-se novamente o obi e pergunta-se ao ori se tudo está de seu agrado. Se sim, todos dizem *Alafia!* Caso contrário, cada alimento é ofertado novamente até que o ori esteja de acordo com tudo o que foi dado.

· IEMANJÁ ·

Nesse momento o pano de ori (*ojá*) é colocado no filho de santo.

Orí jé un orí o
Oríjé un
Oríjé un orí o
Orí jé un
A cabeça comeu, ela comeu
a cabeça, ela comeu
a cabeça comeu, ela comeu
a cabeça, ela comeu

Diante da mesa de bori, o pai de santo eleva o ibá-ori ao alto e canta:

Oríoninkenisotarenin
Oríoninke ni so taroyan
o orí alòreolorinjena
Iyásakualekeiya un so loko
Iyá se keoríebameegbé
mota un borí ò

• IEMANJÁ •

Com o filho agora curvado diante da mesa de bori, o pai de santo entoa:

Omodékékeré
Ense ni kolá a
Ense ni kolá
EOlórunfunalasé
Ense ni kolá
Criança pequena
Você está recebendo riquezas
Você está recebendo riquezas
Olorum te dará axé
Você está recebendo riquezas

Omodékékeré
Ense ni tútú
Ense ni tútú
EOlórunfunalase
E nse ni tutu
Criança pequena
Você está fresca
Você está fresca

· IEMANJÁ ·

Olorum te dará axé
Você está fresca

Omodé kékeré
E nse ni lasun
Ense ni lasun
EOlórunfunalase
Ense ni lasun
Criança pequena
Você está crescendo
Você está crescendo
Olorum te dará axé
Você está crescendo

Omodékékeré
Ense ni soro
Ense ni soro
E Olórunfunalase
E nse ni soro
Criança pequena
Você está fazendo a cerimônia

• IEMANJÁ •

Você está fazendo a cerimônia
Olorum te dará axé
Você está fazendo a cerimônia

Para que se termine a cerimônia, a cantiga abaixo é proferida e o filho de santo dá o dobalé e paô para seu ibá-ori e também para o pai de santo.

Àsékofelebe o
Àsékofelebe o
Oninmoseio e a
Baisebaisepotum
Baisebaisepotum
onika mi ro de

Cumprimentam-se os outros filhos de santo e, posteriormente, todos podem comer do banquete que foi ofertado. Ao término do ritual, o filho de santo é coberto com um lençol branco, permanecendo em recolhimento por dois dias.

· IEMANJÁ ·

Por último, mas não menos importante, é preciso ressaltar a importância que Iemanjá tem nesse ritual, não só em função do mito no qual recebeu a função de Iyá Ori (mãe das cabeças), mas também na parceria que faz com o ori, considerado uma divindade. Nesse sentido, em parte dos terreiros de candomblé essa parceria é esquecida e somente Iemanjá é considerada a dona das cabeças. Poucos são os terreiros que dão ao ori essa importância. Esse fato contraria a opinião daqueles terreiros tradicionais ou os mais africanizados, em que a união entre Ori (orixá) e Iemanjá é importante nos rituais do bori. Aliás, não é demais lembrar a afirmação "*ori buruku kosí òrisá*", ou "Sem cabeça não existe orixá".

7 | Iemanjá e sua magia

Embora Iemanjá seja sempre lembrada e louvada nos terreiros de candomblé como a Grande Mãe e a Iyá Ori, ela também é protagonista de rituais em que suas outras atribuições como amante, mulher guerreira e curandeira são invocadas para atender aos pleitos dos consulentes que buscam, através do jogo de búzios, resolver suas aflições e desejos.

Neste ponto dispomos de relatos de pais e mães de santo, desde os terreiros mais tradicionais até

· IEMANJÁ ·

aqueles que ainda emergem nos últimos anos, de rituais a Iemanjá que passaremos a relatar.

Certa vez, na casa do hoje falecido oluô Agenor Miranda Rocha, conhecido nos meios do candomblé por "o Professor", ficamos maravilhados ao vê-lo preparar uma oferenda para Iemanjá e, curiosos, perguntamos ao sábio oluô para que era indicada aquela comida. Com os olhos vivos e sorriso zombeteiro, eles nos ensinou que era uma oferenda que recebia o nome de Ojú Iyá, ou seja, os Olhos da Mãe, e que tinha a função de rogar a Iemanjá que o ofertante fosse lembrado, naquele caso, por seus clientes que haviam deixado de procurá-lo em sua loja.

Neste ponto é importante insistir na ideia de que a memória ritual no candomblé é baseada no ensinamento ancestral. Pai Agenor nos disse que aprendeu essa oferenda com sua mãe Aninha, ialorixá fundadora do Axé Opô Afonjá, localizado em Salvador, na Bahia, que por sua vez deve tê-la aprendido com seus iniciadores e assim por diante. Pai Agenor falou acerca desse saber baseado na oralidade como algo ainda

· IEMANJÁ ·

presente nos velhos e escondidos cadernos, nos quais os iniciados guardam os segredos de seu aprendizado iniciático, e que "no candomblé nós respeitamos todas as religiões. Aqueles que quiserem conhecer a nossa, nós ensinamos." E ainda: "no sangue ou no espírito, todos os seguidores do candomblé são, de algum modo, afrodescendentes. Não devemos apagar as marcas desse passado, sob o risco de apagar a lembrança que eles têm de nós. Quando eles nos esquecerem, estaremos para sempre enclausurados no nosso tempo e nas nossas fraquezas" (Vallado, 2008). Mais precisamente, esse pensamento procura dar ênfase a quanto é importante o registro e o ensinamento religioso nos terreiros.

Lembramos ainda que é corrente nos terreiros de candomblé, quando alguém quer algo para si e invoca os orixás, que os mais velhos digam: "pede pro santo que ele dá..." Deixando de lado a questão do sincretismo, essa frase vem carregada de simbolismo em que a fé expressada pelas palavras proferidas é o

• IEMANJÁ •

principal veículo de obtenção da graça que, na maioria das vezes, estará amparada por alguma oferenda ritual.

OFERENDAS A IEMANJÁ

OFERENDA DE PAI AGENOR

Retomando a oferenda que Pai Agenor mandara preparar, ela consistia em:
- 1 tigela redonda ou oval de louça branca
- 1 quilo de milho de canjica branca (cru)
- meio quilo de camarão fresco
- 2 cebolas
- azeite de oliva
- sal
- 1 folha de bananeira
- um pedaço de papel contendo os nomes das pessoas que o ofertante deseja que se lembrem dele

· IEMANJÁ ·

Modo de preparo

Cozinhar o milho de canjica apenas em água, até deixá-lo bem mole.

Ralar as duas cebolas.

Limpar os camarões, retirando cabeça e vísceras.

Numa panela coloca-se o azeite numa quantidade boa para fritar a cebola ralada sem queimá-la. Adiciona-se o milho de canjica cozido e deixa-se cozinhar, mexendo de vez em quando.

Numa frigideira frita-se o camarão no azeite, sem deixá-lo tostar.

Apanha-se a folha de bananeira e, assim como se faz para para embalar o acaçá e o abará, corta-se o talo central, deixando apenas as partes da folha que serão queimadas ao fogo até amolecerem.

Apanha-se a tigela branca em cuja base coloca-se um pedaço da folha de bananeira já queimada, coloca-se o papel contendo os nomes e por cima dele derrama-se a canjica, cobrindo toda a travessa.

• IEMANJÁ •

Sobre a canjica, no meio da travessa, derrama-se o camarão frito em forma de círculo, fazendo lembrar o globo ocular.

Deixa-se esfriar e leva-se ao peji de Iemanjá.

Uma cantiga para esse ritual nos foi lembrada pela falecida ialorixá Sandra de Xangô, que tinha seu terreiro em Guararema, na Grande São Paulo.

Ojúmàmàawò
Ojúmàmàawò
Ewáagbado, eròerò ori
Ewáagbadoerôerò ori
Olhos são o segredo
Olhos são o segredo
Beleza da canjica, calma, calma na cabeça
Beleza da canjica, calma, calma na cabeça

Neste ritual, nada é mais emblemático do que a relação de reciprocidade entre o olho de Iemanjá e a memória das pessoas. Nesta invocação pede-se a Iemanjá que olhe pelo consulente e que, como mãe das cabeças, faça com que as pessoas cujos nomes foram colocados na oferenda, voltem a se lembrar dele e o procurem para novos negócios. Cabe ainda dizer que Iemanjá também é aquela que, segundo relata o mito, tanto falou na cabeça de Oxalá, para lembrá-lo de sua insatisfação em ser apenas dona de casa, que acabou por enlouquecê-lo.

OUTRA OFERENDA A IEMANJÁ

Outra oferenda a Iemanjá, que bem mostra seu caráter de mulher-amante - lugar que quase sempre o povo de santo reserva para Iansã, orixá dos ventos, das tempestades e do amor carnal -, coloca-a como apaziguadora das relações amorosas, dos casamentos desfeitos ou protetora na busca da felicidade num parceiro ou parceira. Direitos atribuídos, como contam alguns mitos em que ela aparece como mulher de Ogum, que o acompanha nas batalhas e a quem traiu inúmeras vezes; como mulher de Oxalá, acompanhando-o na criação dos homens; ou ainda esposa

• IEMANJÁ •

de Oquerê, orixá das montanhas e colinas, com quem lutou até transformar-se em rio.

Neste ritual, onde o odu Ossá – o nono filho de Orunmilá – é louvado, os mitos contidos falam de Iemanjá como mulher verdadeira e amante, deixando um pouco de lado a imagem de mulher pura e somente mãe. Nove serão os elementos oferecidos no ritual, assim como nove vezes devem ser as louvações proferidas, com a finalidade de apaziguar relações afetivas, propiciar o reencontro de pessoas que se amavam e se distanciaram por motivos triviais ou ainda para "amarrar alguém", ou seja, trazer para si alguém que não está disposto a viver próximo.

A oferenda se compõe de:
- 1 alguidar grande (onde caibam todos os ingredientes)
- 9 espigas de milho inteiras
- 9 maçãs
- 9 moedas
- 9 búzios
- 9 acaçás

· IEMANJÁ ·

- 9 abarás
- 9 rosas brancas
- 9 velas brancas
- 1 pomba branca

Modo de preparo

Num dia de lua cheia, o sacerdote leva o consulente num local a "céu aberto", levando consigo todos os ingredientes da oferenda. Primeiro, deve saudar a Lua com cantiga própria (Osupá):

Osupámojùbá
Ibáosupé, ibáonilé
Osupámojùbá
Lua eu te saúdo
Saúdo lua, saúdo senhor da terra
Lua eu te saúdo

Depois, ele coloca o alguidar no chão e entrega na mão da pessoa uma espiga de milho para que ela a descasque devagar, fazendo o seu pedido. Deve fazer

· IEMANJÁ ·

isso com todas as espigas, colocando-as lado a lado dentro do alguidar, no sentido anti-horário.

Cantiga para cantar durante a oferenda:
Yemojáógúntéeròayò
Eròayòerò mi ma ó
Iemanjá vai para guerra, calma e se alegra
Calma, alegria, traz pra mim

O sacerdote deve passar no corpo da pessoa todos os outros ingredientes, colocando-os dentro do alguidar. Deve observar que a colocação deve ser feita do mesmo jeito que as espigas de milho, deixando por último as velas e a pomba branca.

O sacerdote sacrifica a pomba para Iemanjá com cantiga específica, derramando o sangue sobre toda a oferenda.

Cantiga para sacrificar a pomba (Vallado, 2008):
Eiyelé
Enwáj'adié
Oluwo, ojúmonmon

· IEMANJÁ ·

MojùbálojúOlórun
Ojúmonmon
Àgòálá
Olórunk'ibáse
Oluwo,ojúmonmon
O pombo
É vossa galinha
Dono do segredo, o dia já amanheceu
Reverenciamos na presença de Olórum
Ao amanhecer do dia
Com licença do alá (da pureza)
Que a bênção seja aceita
Dono do segredo, o dia já amanheceu

A cabeça e as penas da ave devem ser colocadas sobre as oferendas, enfeitando-a. As carnes serão usadas no preparo da refeição dos participantes, que depois se fará como ato de comunhão.

Por último, o sacerdote coloca as velas formando um círculo dentro do alguidar e as acende. Levanta a oferenda em direção da Lua e profere palavras de agradecimento (Vallado, 2008):

Kamaralkú
Kamaraarún
Kamaraofó
Kamaraojúkrekre
AikúBàbáwá
Que não haja morte
Que não haja doença
Que não haja males
Que não haja maus olhos
Para que o Pai dê vida longa

AS FOLHAS DE IEMANJÁ

Entre tantos outros atributos de Iemanjá, trataremos a seguir de suas funções como divindade de cura, atividade que se alia à de outros orixás, como Ossâim, divindade das folhas e poções mágicas, e Obaluaê,

· IEMANJÁ ·

---

orixá curador das doenças de pele e de tantos outros males, em que hoje se inclui a AIDS.

Conta um mito que Ossâim chegou à Terra e se apossou de todas as folhas que a criação de Odudua proporcionara. Colocou-as num grande saco e com ele andava pelo mundo, para descontentamento dos outros orixás, sabedores dos poderes que as folhas detinham. Certo dia, irritada com a pretensão de Ossâim de ser o grande curador dos males dos humanos pelo uso das folhas, Iansã, o orixá do vento, soprou com tanta violência que provocou um vendaval. Ossâim estava tão distraído a catar mais folhas, que não percebeu quando o saco sagrado das folhas se abriu e as folhas voaram ao sabor do vento. Os orixás correram rapidamente e apanharam para si algumas folhas; para Ossâim sobraram apenas as folhas que havia colhido naquele momento. Os orixás se regozijaram pelo feito de Iansã. Ossâim, contrariado e indignado, foi até Olodumare contar o que ocorrera e que ficaria triste por não poder mais curar os homens. Olodumare o escutou e determinou que, daquele dia em diante, os

• IEMANJÁ •

orixás poderiam deter o poder sobre as folhas que haviam apanhado; no entanto, deveriam sempre pedir licença a Ossâim para manipulá-las. Até hoje tal fato é revivido nos terreiros de candomblé, quando se entoam as cantigas para o ritual da sassaim, quando cada folha pertencente a cada orixá é macerada pelo filho de santo, num ritual destinado a Ossâim.

Como contado no mito, Iemanjá, juntamente com os outros orixás, apanhou algumas folhas. Delas falaremos a seguir, mostrando como são empregadas e para que se destinam.

Na maioria dos terreiros de candomblé, as folhas são classificadas segundo duas categorias: *éwé èrò* (folhas que acalmam) e *éwé gún* (folhas que agitam). Praticamente todas as folhas de Iemanjá são pertencentes a categoria *éwé èrò*, empregadas principalmente para os banhos rituais, o que bem demonstra sua característica principal de Mãe que apazigua a cabeça humana.

· IEMANJÁ ·

UMBAÚBA (*ÀGBAÓ*)

Elemento: èrò
Utilização: chá das folhas usado para combater hipertensão, doenças respiratórias, cardíacas, renais e diabetes.
Magia: macerar as folhas da umbaúba com mel e um pouco de azeite de dendê, e passar nas palmas das mãos e dos pés. Pedir a Iemanjá que traga a pessoa desejada.

MELÃO-D'ÁGUA (*AGBÉLE*)

Elemento: èrò
Utilização: chá das folhas para mulheres com dificuldade de engravidar.
Magia: secar e torrar as folhas, e com o pó fazer um ponto diariamente na testa para atrair coisas boas.

· IEMANJÁ ·

COQUEIRO (*ÀGBÓN*)

Elemento: èrò
Utilização: a água do coco é usada contra desidratação, problemas intestinais, náuseas, vômitos e enjoo da gravidez.
Magia: escreve-se o nome de um desafeto numa fita branca e amarra-se na folha do coqueiro; segundo se acredita, esta pessoa sai do caminho de quem realizou a magia.

JARRINHA (*AKONIJÉ*)

Elemento: èrò
Utilização: antídoto para veneno de cobra; abortivo.
Magia: utilizada em todos os rituais para Iemanjá em que se pede a intercessão do orixá em qualquer assunto.

• IEMANJÁ •

ALFAZEMA (ÀRÙSÒ)

Elemento: èrò
Utilização: febres infantis.
Magia: banho, feito por infusão das folhas, afasta o mau-olhado e a inveja.

MANJERICÃO (ƐFÍNRÍN)

Elemento: gún
Utilização: chá para combater cólicas, diarreias, afecções das vias urinárias, gengivites, amigdalites, estomatites, aftas.
Magia: conhecida como a folha das bruxas, utiliza-se o manjericão em banho, acrescido de uma folha de pimenta e alfazema: indicado para atrair homem. A mulher pode banhar a vagina com esse mesmo banho, sem colocar a folha de pimenta: diz-se que com isso atrairá o homem desejado com mais rapidez.

• IEMANJÁ •

SALSA-DA-PRAIA (*GBÒRÒAYABÁ*)

Elemento: èrò
Utilização: chá para combater reumatismo e nevralgias.
Magia: por se tratar de folha que se enreda e seu hábitat são as areias da praia, acredita-se que, se colocar o nome de um desafeto amarrado entre suas ramas, este sofrerá perdas materiais consideráveis.

MARICOTINHA (*ƐTÍTÁRÉ*)

Elemento: èrò
Utilização: unguentos para inflamações oculares e dores de ouvido; seu chá ajuda a eliminar afecções da bexiga, uretra e dos rins; é também um excelente diurético e antidiabético.
Magia: macerar as folhas em água para banho atrativo (amor, dinheiro etc.)

• IEMANJÁ •

MACASSÁ OU CATINGA-DE-MULATA (*MAKASÁ*)

Elemento: èrò
Utilização: banhos contra febre infantil.
Magia: o banho com as folhas é aconselhado para retirar praga, mau-olhado e também como atrativo; homens e mulheres podem se utilizar deste banho.

OXIBATÁ (*OSIBATA*)

Elemento: èrò
Utilização: o chá das folhas é abortivo; utilizado também para combater diarreia e moléstias da pele.
Magia: a folha é macerada e depois se faz um chá acrescido de mel: é um afrodisíaco bastante conhecido do povo de santo.

• IEMANJÁ •

COLÔNIA (*TÓTÓ*)

Elemento: èrò
Utilização: o chá serve como sedativo, combate enxaquecas, e se faz um emplastro com álcool, usado contra dores de cabeça; o chá das folhas é utilizado contra hipertensão, palpitações cardíacas e como sedativo leve.
Magia: faz-se um banho com as folhas maceradas na água com mel de abelha puro. Depois de tomar o banho, veste-se uma roupa branca e, sem falar com ninguém, deita-se diante do peji de Iemanjá pedindo paz e abertura de caminhos.

CAPEBA (*ÉWÉIYÁ*)

Elemento: èrò
Utilização: o chá das folhas é utilizado como diurético, combate febres, gastrites, prisão de ventre, reumatismo, hemorroidas.

· IEMANJÁ ·

Magia: apanha-se uma folha de capeba, seca-se ao sol e se faz um patuá para proteção pessoal.

***

No candomblé, os rituais dedicados a determinado orixá estão relacionados diretamente às características míticas que o definem. Portanto, ao se falar de Iemanjá, pode-se pensar em quão diversas são suas ações sobre a vida do povo de santo e também daqueles que buscam no jogo de búzios a solução para seus problemas pessoais. O axé manipulado nos rituais é força sagrada, invisível, mágica, força que move o mundo, existente na natureza viva e compartilhada com os seres humanos pelo conjunto de todos os orixás por meio de preceitos, oferendas e regras ditadas pela religião (Maupoil, 2017).

8 | Iemanjá na cultura popular

A existência de grandes imagens de Iemanjá em praias brasileiras, sobretudo onde se realizam anualmente grandes festas à beira-mar, afirma sua presença constante nos símbolos de origem africana que constituem a cultura popular de nosso país. Sua presença se repete das artes plásticas à produção literária, musical, cinematográfica e teatral.

Canções que se tornaram ícones da música popular brasileira falam de Iemanjá, contribuindo para que seu nome e seus atributos se tornassem conhecidos

• IEMANJÁ •

além dos limites dos templos afro-brasileiros. Algumas canções compostas e gravadas por compositores e cantores de grande prestígio representam marcos significativos dessa conquista nos planos estéticos e afetivos da cultura.

Em 1964, no Primeiro Festival da Música Popular Brasileira, realizado pela antiga TV Excelsior, Elis Regina, então uma cantora em início de carreira, cantou "Arrastão", de Vinicius de Moraes e Edu Lobo. A canção foi eleita a melhor música do festival, embora sua temática fosse um tanto exótica para o público da época. "Arrastão" retoma as histórias de pescadores tão cantadas décadas antes por Dorival Caymmi. Fala de Iemanjá, Janaína, Rainha do Mar, do sucesso de uma pescaria, da vontade de casar e outros encantos vindos do mar. Logo tornou-se um clássico da MPB (Moraes; Lobo, 1965). Seus primeiros versos falam do trabalho do pescador, conclamando-o a deixar suas tristezas de lado e trazer Iemanjá:

Ê tem jangada no mar
Ê eiê hoje tem arrastão

· IEMANJÁ ·

Ê todo mundo pescar
Chega de sombra João
J'ouviu
Olha o arrastão entrando no mar sem fim
Ê meu irmão me traz Iemanjá pra mim.

Quando a embarcação retorna do mar e a rede é puxada bem devagar, é enorme e alegre a surpresa: a Rainha do Mar vem no arrastão, trazendo com ela uma quantidade de peixes como nunca se viu. Dizem os versos finais:

Ê é a Rainha do Mar
Vem vem na rede João pra mim
Valha-me meu Nosso Senhor do Bonfim
Nunca jamais se viu tanto peixe assim.

Bem antes, Dorival Caymmi (1957) nos dera "Dois de fevereiro", sobre a data consagrada a Iemanjá, na Bahia, e a N. Sra. dos Navegantes, em diferentes partes do Brasil. Gravada por ele em 1957, "Dois de fevereiro" tem sido regravada por muitos e muitas intérpretes. É outro ícone da MPB. Diz:

Dia dois de fevereiro
Dia de festa no mar
Eu quero ser o primeiro
A saudar Iemanjá.

A música conta do presente de cravos e rosas que acompanhou um bilhete enviado ao mar para Iemanjá, para que ela ajudasse o devoto nas coisas do amor, ao que ela recomendou paciência. Até que, finalmente, ficou entendido que Iemanjá aceitara o presente. Então tudo se transformou em festa, pois

Chegou, chegou, chegou
Afinal o dia dela chegou.

Em 1974, Clara Nunes gravou "Conto de Areia", de Toninho Nascimento e Romildo (Bastos; Pinto, 1974), música que se tornaria uma espécie de marca registrada da cantora. O mar, o da Bahia, é cenário e personagem da maior grandeza:

· IEMANJÁ ·

É água no mar, é maré cheia ô
Mareia ô, mareia
É água no mar.

Mas a Bahia também é o lugar da tristeza da moça, talvez por causa de um amor:
Contam que toda tristeza
Que tem na Bahia
Nasceu de uns olhos morenos
Molhados de mar.

A letra fala que a morena de olhos tristes "um dia abriu seu sorriso de moça e pediu para dançar", e seus olhos encheram tudo de luz. Entre alegrias e tristezas, a música pergunta:
Quem foi que mandou
O seu amor
Se fazer de canoeiro
O vento que rola das palmas
Arrasta o veleiro
E leva pro meio das águas de Iemanjá

· IEMANJÁ ·

E o mestre valente vagueia
Olhando pra areia sem poder chegar
Adeus, amor.

A narrativa vai nos levando na direção do mistério, um mundo novo é revelado, e o mar é todo ele um lugar de segredos e tesouros escondidos:

Adeus, meu amor
Não me espera
Porque eu já vou me embora
Pro reino que esconde os tesouros
De minha senhora
Desfia colares de conchas
Pra vida passar
E deixa de olhar pros veleiros
Adeus meu amor eu não vou mais voltar.

Em 2006, Maria Bethânia gravou "Iemanjá, Rainha do Mar", de Pedro Amorim e Sophia de Mello Breyner (Amorim; Breyner, 2006). Seus versos dizem quem é Iemanjá, com que diferentes nomes ela é invocada,

• IEMANJÁ •

e como deve ser tratada, festejada, querida. Ela é chamada de "Dandalunda, Janaína, Marabô, Princesa de Aiocá, Inaê, Sereia, Mucunã, Maria, Dona Iemanjá".

A música diz onde ela vive, onde mora: "nas águas, na loca de pedra, num palácio encantado, no fundo do mar". Que ela gosta de "perfume, flor, espelho e pente, toda sorte de presente pra ela se enfeitar".

Outros versos relembram as saudações devidas a Iemanjá, suas datas comemorativas e coisas mais, para terminar, como não podia deixar de ser, falando dos marinheiros:

Quem é que já viu a Rainha do Mar?
Pescador e marinheiro
Que escuta a sereia cantar
É com o povo que é praieiro
Que dona Iemanjá quer se casar.

Em 1989, Marisa Monte gravou "Lenda das sereias, Rainha do Mar" de Vicente Mattos, Dinoel e Arlindo Velloso (Mattos; Sampaio; Velloso, 1989), outro inesquecível sucesso. A letra dá nomes e qualidades

· IEMANJÁ ·

de Iemanjá nas diferentes nações de candomblé e o lugar de sua morada:

Ogunté, Marabô
Caiala e Sobá
Oloxum, Inaê
Janaína e Iemanjá.

O mar recebe o mesmo carinho devotado a Iemanjá. Afinal, não seriam a mesma coisa? Iemanjá, o mar, a sereia?

O mar, misterioso mar
Que vem do horizonte
É o berço das sereias
Lendário e fascinante.

O canto da sereia, como o povo imagina Iemanjá, ouvido especialmente nas noites de lua cheia, não é esquecido:

Olha o canto da sereia
Ialaô, Oquê, Ialoá
Em noite de lua cheia
Ouço a sereia cantar.

· IEMANJÁ ·

Quando, sob um luar que sorri, o mar se agita nas ondas, desenhando os limites da praia, é na areia que Iemanjá vem brincar:

Ela mora no mar
Ela brinca na areia
No balanço das ondas
A paz ela semeia.

***

Não é difícil ter acesso às gravações dessas e de outras músicas que falam de Iemanjá e ouvi-las na íntegra. Nos mais diferentes ritmos e melodias, Iemanjá e o mar se juntam e se completam no imaginário que o Brasil canta e que canta o Brasil.

Mesmo quem pouco conhece das religiões afro-brasileiras — mas não se deixou contaminar pelo preconceito racial que a sociedade brasileira tem cultivado, com maior ou menor sutileza, desde a escravidão, contra tudo que tem sua origem na África negra —, tem facilidade de associar Iemanjá ao mar,

· IEMANJÁ ·

sabe que uma coisa leva à outra, sobretudo quando a festa se faz na areia das praias. É capaz de se vestir de branco na noite de Ano-Novo, pular sete ondas e jogar flores e perfume à Rainha do Mar. Já não se trata de religião, mas da cultura popular brasileira.

9 | Mitos de Iemanjá

É extensa e rica a mitologia de Iemanjá. Seus mitos trazem narrativas sobre a criação do mundo e dos orixás, explicam como ela ganha e usa seus poderes e demais atributos, mostram padrões femininos de relacionamento amoroso, sexual e familiar, falam de suas preferências e não escondem virtudes e defeitos. Oferecem modelos arquetípicos que orientam o comportamento de seus filhos espirituais e lhes dão identidade, conforme podemos constatar nos mitos apresentados a seguir, todos baseados no livro *Mitologia dos orixás*, de Reginaldo Prandi (2001).

• IEMANJÁ •

IEMANJÁ É VIOLENTADA E DÁ À LUZ OS ORIXÁS

Da união entre Obatalá, o Céu, e Odudua, a Terra, nasceram Aganju, a Terra Firme, e Iemanjá, as Águas. Da união entre Aganju e Iemanjá, nasceu Orungã. Sem ter com quem se juntar, Orungã aproveitou-se um dia da ausência do pai e violou Iemanjá. Iemanjá tentou fugir, mas foi perseguida pelo filho. Em meio à fuga, Iemanjá caiu desfalecida e cresceu-lhe desmesuradamente o corpo, como se suas formas se transformassem em vales, montes, serras. De seus seios, enormes como duas montanhas, nasceram dois rios, que adiante se reuniram numa só lagoa, originando mais adiante o mar. De seu ventre nasceram os orixás: Dadá, deusa dos vegetais, Xangô, deus do trovão, Ogum, deus do ferro e da guerra, Olocum, divindade do mar, Olossá, deusa dos lagos, Oiá, deusa do rio Níger, Oxum, deusa do rio Oxum, Obá, deusa do rio Obá, Ocô, orixá da agricultura, Oxóssi, orixá dos caçadores, Oquê, deus das montanhas, Ajê Xalugá, orixá da saúde, Xapanã, deus da varíola, Orum, o Sol, Oxu, a Lua. Muitos outros

· IEMANJÁ ·

orixás nasceram do ventre violado de Iemanjá, até que, por fim, nasceu Exu, o mensageiro. Cada filho de Iemanjá tem sua história, cada um tem seus poderes.

IEMANJÁ RECEBE AJUDA DE XANGÔ PARA CHEGAR AO MAR

Após ter tido dez filhos com Olofim-Odudua, Iemanjá resolveu sair de Ifé, deixando sua vida para trás. Em Abeocutá, conheceu Oquerê, rei de Xaci, que por ela se apaixonou. O casamento entre os dois, porém, devia respeitar um tabu: nunca seriam mencionados seus seios grandes, fartos e volumosos devido a ter amamentado muitos filhos. Em troca, Iemanjá nunca falaria dos defeitos de Oquerê, de seus testículos exuberantes, de alcoolismo, e também nunca entraria em seus aposentos pessoais.

Certo dia, porém, Oquerê voltou para casa embriagado, tropeçou em Iemanjá e vomitou no chão da sala. Uma briga se instaurou. Nervosa, Iemanjá o

• IEMANJÁ •

chamou de bêbado imprestável. Oquerê, por sua vez, fez comentários grosseiros sobre os imensos seios de Iemanjá. A briga se estendeu com Iemanjá falando dos defeitos de Oquerê, inclusive de sua exagerada genitália, além de entrar em seu quarto para apontar a bagunça que lá estava.

No fim da discussão, todos os tabus estavam quebrados. Oquerê quis surrar Iemanjá, que tentou fugir para a casa de sua mãe Olocum. Na fuga, Iemanjá derrubou uma garrafa de poção mágica que levava consigo, presente de sua mãe. Ao se quebrar, a garrafa deu origem a um rio, que levaria Iemanjá ao mar, à casa de sua mãe. Mas Oquerê interveio e se transformou numa montanha, Oquê, que impedia o curso do rio e de Iemanjá em direção ao mar. Iemanjá gritou pela ajuda de seu filho Xangô. No dia seguinte, após receber as devidas oferendas, houve uma tempestade e Xangô lançou um raio na montanha. O monte Oquê foi dividido em dois, formando um vale profundo que permitia a passagem livre de Iemanjá em direção à sua mãe, do rio em direção ao mar. Assim, Iemanjá pôde finalmente aconchegar-se no colo de Olocum.

IEMANJÁ CRIA ESTRELAS, NUVENS E OS ORIXÁS

Ao ver que Iemanjá estava solitária no Orum, Olodumare decidiu que ela precisava ter uma família. Na primeira tentativa, a barriga de Iemanjá cresceu e cresceu, e dela nasceram todas as estrelas. Mas as estrelas foram se fixar na distante abóbada celeste, e Iemanjá continuava solitária. Na tentativa seguida, nasceram as nuvens, que perambulavam pelo céu até se precipitarem em chuva sobre a terra, deixando Iemanjá novamente sozinha. Por fim, nasceram os orixás, Xangô, Oiá, Ogum, Ossâim, Obaluaê e os Ibejis. Agora, finalmente, Iemanjá teria companhia, teria com quem comer, conversar, brincar e viver.

IEMANJÁ DESTRÓI A PRIMEIRA HUMANIDADE

Iemanjá, rainha poderosa e sábia, tinha sete filhos. O primogênito, um negro bonito, com o dom da palavra, era o predileto. Enquanto as mulheres caíam a seus pés, os homens e os deuses o invejavam. Inventaram então que ele desejava a morte do próprio pai, o rei, e tantos repetiram a calúnia, que a desconfiança passou a reinar. Iemanjá Sabá explodiu em ira e tentou ajudar seu filho, mas não foi ouvida. Assim, a humanidade conheceu o preço de sua vingança. Mandou que as águas salgadas invadissem a terra, e assim ninguém mais teria água doce para beber. Assim, a primeira humanidade foi destruída.

IEMANJÁ TAMBÉM JOGA BÚZIOS

Iemanjá era casada com o grande adivinho Orunmilá. Certa vez, quandoOrunmilá viajou e demorou para voltar, Iemanjá ficou sem dinheiro e usou o oráculo

IEMANJÁ

do marido para suprir suas necessidades. No caminho de volta para casa, Orunmilá ouviu sobre uma mulher que, tal como um babalaô, dominava o segredo dos búzios. Chegou sem avisar ninguém, e foi vigiar o movimento em sua casa. Cedo descobriu que era mesmo Iemanjá quem estava fazendo adivinhações. Orunmilá repreendeu duramente Iemanjá, que tentou se justificar dizendo que só tinha feito aquilo para não morrer de fome. O marido não quis saber e a levou para Olofim-Olodumare. Olofim afirmou que Orunmilá era o único dono legítimo do jogo oracular, o conhecedor da ciência dos dezesseis odus. Mas o mérito de Iemanjá também foi reconhecido e, sendo assim, ela ganhou a permissão para interpretar as situações mais simples, que não envolvessem o saber completo dos dezesseis odus. Foi dessa maneira que as mulheres ganharam uma atribuição antes restrita aos homens.

· IEMANJÁ ·

IEMANJÁ SE TORNA A SENHORA DAS CABEÇAS

Olodumare convocou todos os orixás para uma reunião. Iemanjá estava em casa matando um carneiro, quando Legba chegou para avisá-la do encontro. Iemanjá saiu correndo para o encontro, e pegou a primeira coisa que viu, a cabeça do carneiro, para levar de presente a Olodumare. Iemanjá foi a única a levar um presente. Ao vê-la, Olodumare declarou: "Awoyó orí doríre." "Cabeça trazes, cabeça serás." Desde então, Iemanjá é a senhora de todas as cabeças.

IEMANJÁ FINGE-SE DE MORTA

Quando os orixás chegaram à Terra, Ogum veio na dianteira, abrindo os caminhos. Obatalá criou os homens e Icu foi encarregada de os levar daqui para um outro mundo, na data atribuída a cada um por Olorum. Nesse período inicial, os mortos ainda não eram enterrados. Seus corpos eram colocados aos

· IEMANJÁ ·

pés de Iroco, a grande árvore. Um dia Iemanjá fugiu de Ogum para ficar com um amante. O plano foi se fazer de morta, para que Ogum a deixasse junto ao Iroco. A artimanha deu certo e Iemanjá foi festejar com seu amante. Certo dia, porém, ela passou no mercado onde sempre vendia seus quitutes. A filha que ela teve com Ogum, contudo, acabou por encontrá-la. A menina voltou correndo para casa e contou ao pai o que vira. Ogum não quis acreditar na filha, mas mesmo assim, no dia seguinte, foi ao mercado e lá encontrou sua mulher Iemanjá. Irado, Ogum amarrou-a e a levou à presença de Olofim-Olodumare, a quem Ogum narrou o mórbido sucedido. Para que nada semelhante voltasse a ocorrer novamente, o Senhor Supremo determinou que todos os mortos deveriam agora ser sepultados em covas fundas, e seus corpos cobertos com terra.

· IEMANJÁ ·

IEMANJÁ SEDUZ OS PESCADORES E OS AFOGA

Dona de rara beleza, Iemanjá certa vez saiu de sua morada nas profundezas do mar e veio à terra em busca do prazer da carne. Ao encontrar um jovem pescador, levou-o para seu líquido leito de amor. O encontro foi prazeroso a ambos, mas o pescador, como não poderia deixar de ser, morreu afogado no final. Quando amanheceu, Iemanjá devolveu o corpo à praia. Assim acontece sempre, toda noite. Iemanjá escolhe algum dos pescadores, leva o escolhido para o fundo do mar, deixa-se possuir e depois o traz de novo, sem vida, para a areia. Para evitar esse infortúnio, muitas noivas de pescadores vão cedo para a praia clamar para que Iemanjá deixe seus homens voltarem com vida. Em troca, elas levam para o mar muitos presentes, flores, espelhos e perfumes.

· IEMANJÁ ·

IEMANJÁ SALVA O SOL E CRIA A NOITE

Orum, o Sol, andava exausto, pois não havia dormido. Ele brilhava sobre a Terra ininterruptamente, e por isso já estava a ponto de exaurir-se. Com isso, maltratava também a Terra e os humanos. Os orixás se reuniram para encontrar uma saída e Iemanjá arrumou uma solução. Ela guardaria sob suas saias alguns raios de Sol e os projetaria sobre a Terra quando o Sol fosse descansar, antes de brilhar de novo no dia seguinte. Os fracos raios de luz guardados por Iemanjá formaram um outro astro, a Lua, Oxu. Sua luz fria refrescava a Terra para que os seres humanos não morressem de calor. Graças a Iemanjá, o Sol agora podia dormir, pois as estrelas velariam por seu sono até o dia seguinte.

• IEMANJÁ •

IEMANJÁ CASTIGA XANGÔ

Iemanjá tinha um filho briguento, Xangô, que destruía tudo o que encontrava. Preocupada, Iemanjá o repreendeu por seu comportamento, mas ele não gostou e, em resposta, botou fogo pela boca, nariz e ouvidos. O calor fez o corpo de Iemanjá crescer e borbulhar, suas saias se avolumaram assustadoramente, ondas e marés apavorantes derrubaram Xangô e quase o afogaram. Xangô saiu gritando: "Onónko mi Iyámi!" "Me dás medo, mãe!" A partir daí, Xangô passou a temer e respeitar Iemanjá profundamente. Iemanjá sabe que seu filho continua briguento, mas se alguém fala mal dele, ela se irrita e o defende, pois só ela o pode castigar.

· IEMANJÁ ·

IEMANJÁ PEDE AJUDA A OXUM PARA CONQUISTAR OGUM

Iemanjá se enamorou de Ogum, mas era ignorada. Foi então buscar auxílio com Oxum, que lhe pediu uma cabrita em troca da solução. Como não tinha uma cabra, Iemanjá preparou o sacrifício com uma ovelha. Oxum cumpriu sua parte no trato, e seduziu Ogum com sua dança e seu mel, colocando-o no leito de Iemanjá. Ogum e Iemanjá tiveram seus amores, mas Ogum não tardou em abandoná-la. Desesperada, Iemanjá foi procurar Oxum novamente, mas desta vez não obteve ajuda. Oxum não gostara nada nem do sabor nem do aroma da ovelha.

· IEMANJÁ ·

IEMANJÁ TEM SEU PODER SOBRE O MAR CONFIRMADO POR OBATALÁ

Ainda no princípio dos tempos, Iemanjá despertou a revolta dos orixás e dos homens que não aguentavam mais a terra invadida com suas águas. Olorum foi procurado e enviou Obatalá à Terra para averiguar a acusação. Eleguá, que tudo escutou, avisou Iemanjá e aconselhou-a a consultar Ifá. Ifá mandou que Iemanjá sacrificasse um carneiro. Enquanto Obatalá conversava com os orixás e os homens, Iemanjá invadiu de novo a terra. Cavalgando no alto das ondas, Iemanjá trazia em suas mãos a cabeça do carneiro, que ofereceu a Obatalá. Obatalá aceitou a oferenda e rejeitou os protestos. Por isso, a despeito das reclamações, nunca se passa muito tempo sem que o mar invada a terra. É Iemanjá cavalgando a temida maré.

Glossário

Abebé (abèbè) – leque ritual usado por alguns orixás femininos.
Abicu (àbikú) – Literalmente, nascido para morrer. Entidade de recém-nascidos que vivem pouco tempo.
Adjá (aja) – sineta ritual.
Agogô (agogo) – Instrumento musical de ferro usado para marcar os toques dos atabaques.
Aiê (aiyé) – a Terra.
Amassi – Infusão resultante da maceração de ervas consideradas sagradas, para utilização em banhos e na lavagem dos objetos rituais.

· IEMANJÁ ·

Babalorixá (bàbálòrìsà) – Pai de santo. É o chefe do terreiro, o sacerdote supremo da casa.

Bori (borí) – Cerimônia pela qual se cultua a cabeça (ori); significa dar comida à cabeça. É um ebó à cabeça.

Contra-egum (ikan) – Trança feita de palha da costa que, atada ao antebraço, tem a função de proteger contra a influência de eguns (mortos) e outros malefícios.

Dobalé (dòbálè) – Ato de prostrar-se no chão em saudação feita pelos filhos de orixás masculinos.

Ebó (ebo) – Sacrifício ritual que tem como função livrar as pessoas de malefícios de toda ordem.

Ecodidé (ikódide) – Pena extraída das asas do papagaio odíde.

Ejé (èjè) – Sangue.

Ialorixá (ìyálòrisà) – Mãe de santo; chefe do terreiro; sacerdotisa suprema da casa.

Ibá-ori (iigbá orí) – Literalmente a cabaça da cabeça. Recipiente que contém os elementos simbólicos pertinentes ao ritual do bori e que representam a cabeça da pessoa; assentamento da cabeça.

· IEMANJÁ ·

Indé (idẹ) – Pulseira em forma de aro.

Obi (obí) – Fruto também denominado noz de cola, de origem africana, fundamental no culto dos candomblés. O obi é usado como fonte de axé e também como instrumento oracular. Usa-se o fruto aclimatado no Brasil, de duas faces, e o importado da África, de quatro faces.

Odoiyá (odòìyá) – Literalmente "Mãe do Rio", saudação ao orixá Iemanjá.

Odu (odù) – Definição da origem, destino e explicação dos fatos da vida do consulente, e das formas propiciatórias de reparação, desvendadas pela prática oracular.

Ojá (òjá) – Faixa ou tira de tecido que serve para envolver a cabeça dos membros do terreiro nos rituais, assim como para adornar o terreiro em dias de festa.

Olossaim (ọlọ́sányìn) – Sacerdote ligado ao culto de Ossâim, que tem a função de apanhar as folhas para os rituais, bem como preparar os banhos lustrais utilizados no terreiro.

• IEMANJÁ •

Opaxorô (opaṣoro) – Cajado ritual utilizado por Oxalá quando em transe no terreiro.

Ori (orí) – Cabeça, parte interior da cabeça, personalidade, emoções internas, tudo aquilo que está dentro do cérebro. O ori é cultuado no bori. É considerado o receptáculo do orixá.

Ori (òrí) – Manteiga de carité (gordura da castanha da árvore africana desse nome).

Oriqui (oríkì) – Reza que faz referência aos feitos e atribuições dos orixás.

Orucó (orúkọ) – Nome do iniciado; também conhecido por dijina.

Orum (òrun) – Espaço sagrado onde vivem os orixás, é considerado também o conjunto dos nove espaços em que se divide o infinito.

Oxé-dudu (oṣe dudu) – Sabão da costa, produzido na África Ocidental a partir de óleo de palma (dendê) ou ori (v.) e cinzas de folhas, cascas etc. É importado da Costa da Guiné (daí seu nome).

Ôxu (òṣù) – É uma massa feita em forma cônica; conforme o ritual no qual a utilizam, é composta por elementos diversos como: obi, folhas pertencentes ao orixá individual, penas de alguns pássaros sagrados etc. É um elemento ritual que confirma a iniciação do iaô.

Sassaim – Cerimônia de sacralização das folhas, relacionada diretamente com o culto de Ossâim, o dono da vegetação.

Euê (ewé) – Folha (termo genérico).

Xequerê (sekeré) – Cabaça coberta por malha de contas que emite som semelhante ao chocalho.

Xirê (siré) – Cerimônia pública do candomblé em que a roda de santo canta e dança, louvando todos os orixás, começando com Exu e terminando com Oxalá.

Referências

BIBLIOGRAFIA

AMARAL, Rita. **Xirê!** O modo de crer e de viver no candomblé. Rio de Janeiro: Pallas; Educ, 2002.

AUGRAS, Monique. De iyá mi a pombo gira: transformações e símbolos da libido. In: MOURA, Carlos Eugênio Marcondes de (org.). **Meu sinal está em seu corpo**. São Paulo: Edicon; Edusp, 1981.

AUGRAS, Monique. **O duplo e a metamorfose**: a identidade mítica em comunidades nagô. Petrópolis: Vozes, 1983.

AUGRAS, Monique. Quizilas e preceitos: transgressão, reparação e organização dinâmica do mundo. In: MOURA, Carlos Eugênio Marcondes de (org.). **Candomblé desvendando identidades**. São Paulo: EMW, 1987.

BARBARA, Rosamaria Susanna. **A dança das aiabás**: dança, corpo e cotidiano das mulheres de candomblé. Tese de doutorado em sociologia. São Paulo: USP, 2002.

BARROS, José Flávio Pessoa de; NAPOLEÃO, Eduardo. *Ewé òriṣà*: uso litúrgico e terapêutico dos vegetais nas casas de candomblé jêje-nagô. Rio de Janeiro: Bertrand Brasil, 1999.

BASTIDE, Roger. **As religiões africanas no Brasil**. São Paulo: Pioneira, 1971.

COSSARD-BINON, Giselle. A filha de santo. In: MOURA, Carlos Eugênio Marcondes de (org.). **Olóòrìsà**: escritos sobre a religião dos orixás. São Paulo: Ágora, 1981.

DURKHEIM, Émile. **As formas elementares da vida religiosa**. São Paulo: Martins Fontes, 1996.

IWASHITA, Pedro. **Maria e Iemanjá**: análise de um sincretismo. São Paulo: Paulinas, 1991.

MAUPOIL, Bernard. **A arte da adivinhação na antiga Costa dos Escravos**. Tradução de Carlos Eugênio Marcondes de Moura do original de 1943. São Paulo: Edusp, 2017.

PIERUCCI, Antônio Flávio; PRANDI, Reginaldo. **A realidade social das religiões no Brasil**. São Paulo: Hucitec, 1996.

PRANDI, Reginaldo. **Os candomblés de São Paulo**: a velha magia da metrópole nova. São Paulo: Hucitec; Edusp, 1991.

PRANDI, Reginaldo. **Mitologia dos orixás**. São Paulo: Companhia das Letras, 2001.

VALLADO, Armando. **Iemanjá**: a grande mãe africana do Brasil. Rio de Janeiro: Pallas, 2008.

VALLADO, Armando. **Lei do santo**: poder e conflito no candomblé. Rio de Janeiro: Pallas, 2010.

VERGER, Pierre Fatumbi. **Orixás**: deuses iorubás na África e no Novo Mundo. Salvador: Corrupio, 1997.

DISCOGRAFIA

MORAES, Vinícius de; LOBO, Edu. Arrastão. Intérprete: Elis Regina. In: REGINA, Elis. **Arrastão e Aleluia**. [Rio de Janeiro:] Philips, 1965. 1 compacto simples, vinil. Lado 1.

CAYMMI, Dorival. Dois de fevereiro. Intérprete: Dorival Caymmi. In: CAYMMI, Dorival. **Canções do mar**. [Rio de Janeiro:] Odeon, 1957. 1 compacto duplo, vinil. Faixa 4.

BASTOS, Romildo; PINTO, Antônio Carlos Nascimento [Toninho]. Conto de Areia. Intérprete: Clara Nunes. In: NUNES, Clara. **Alvorecer**. [Rio de Janeiro:] EMI-Odeon, 1974. 1 LP, vinil. Lado B, faixa 3.

AMORIM, Pedro; BREYNER, Sophia de Mello. Iemanjá, rainha do mar. Intérprete: Maria Bethânia. In: BETHÂNIA, Maria. **Mar de Sophia**. Rio de Janeiro: Biscoito Fino, 2006. 1 CD. Faixa 2 (com Beira-mar).

MATTOS, Vicente; SAMPAIO, Dinoel; VELLOSO, Arlindo. Lenda das sereias, rainha do mar. Intérprete: Marisa

• IEMANJÁ •

Monte. In: MONTE, Marisa. **MM**. [Rio de Janeiro:] EMI-Odeon, 1989. 1 LP, vinil. Lado B, faixa 2.

Este livro foi impresso em março de 2024,
na Gráfica Reproset, em Curitiba.
O papel de miolo é o offset 75g/m^2
e o de capa é o cartão 250g/m^2.
A fonte usada no miolo é a Gill Sans 10/17.

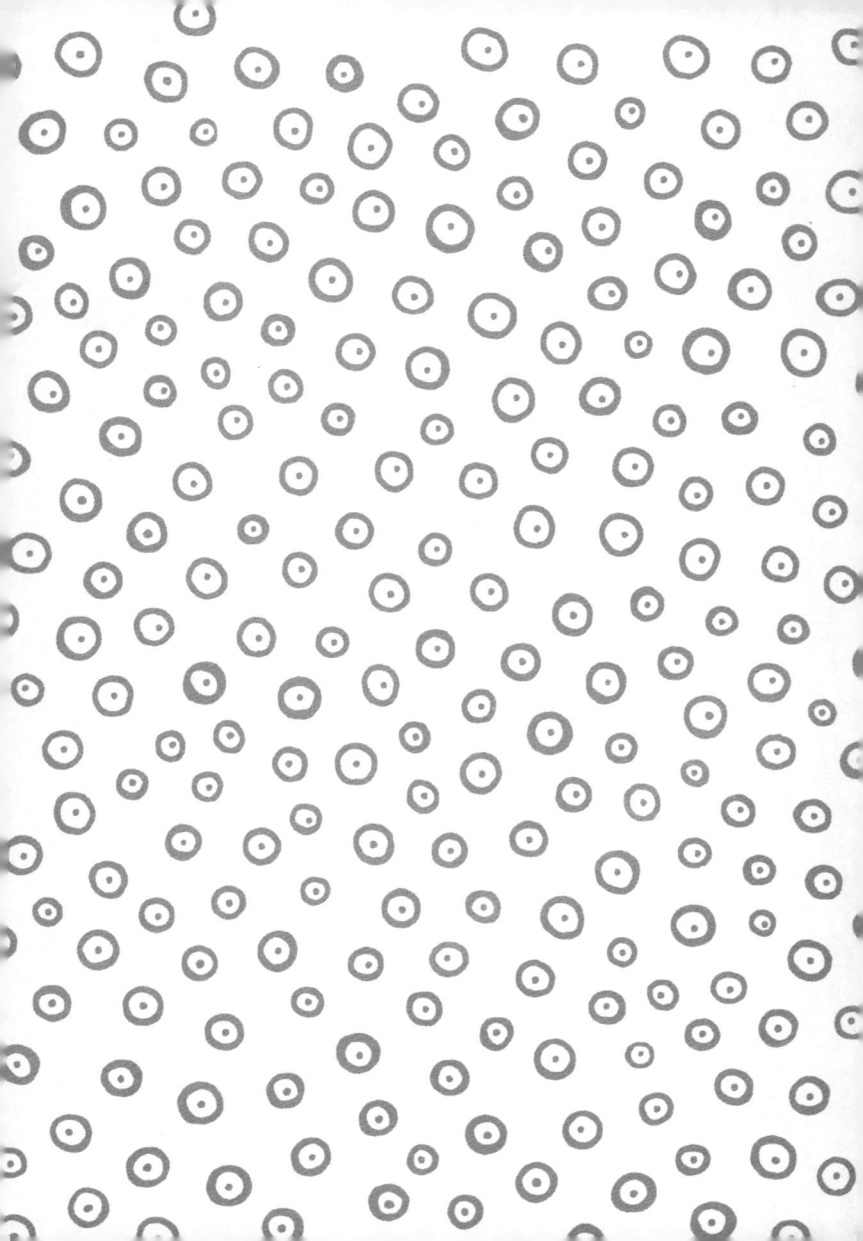